文道　藤吉豊　小川真理子

日本人のための

「書く」全技術 極み

SE
SHOEISHA

はじめに

文章作成は「5つのプロセス」で成り立っている

「文章を書く」というと、たいていは、「パソコンやスマホに文字を入力したり、ノートにペンで手書きをしたりする作業」を思い浮かべると思います。

　ですが、「書く作業（入力作業、手書き作業）」は、文章を完成させるためのプロセスのひとつにすぎません。

　文章作成は、以下の5つのプロセス（5つの作業）から成り立っています。

【文章作成の5つのプロセス】
- ●プロセス①……企画立案作業
- ●プロセス②……情報収集作業
- ●プロセス③……情報整理作業
- ●プロセス④……執筆作業
- ●プロセス⑤……推敲作業

●**プロセス①……企画立案作業／第1章で説明**

　企画立案作業は、

「何のために書くのか」（目的）

「誰のために書くのか」（読者ターゲット）

「何を書くのか」（中身、内容）

　など、文章を書く「目的」と「内容」を決める作業です。

　読み手の共感を得るには、「読み手にとって有益な情報」を提供する必要があります。**読み手の「知りたい」「学びたい」「気づきたい」という欲求に応える内容を考えます。**

◉プロセス②……情報収集作業／第2章で説明

　プロセス①で書く内容が決まったら、企画に関する情報を収集します。**文章の質は、情報の量と質で決まります。**文献、書籍、インターネットなど情報ソースを使い分けながら、「正確な情報」「新しい情報」を集めることが大切です。

◉プロセス③……情報整理作業／第3章で説明

　プロセス②で集めた情報を整理・精査し、「使う情報」と「使わない情報（信ぴょう性がなくて使えない情報）」を取捨選択します。

　集めた情報の質によって、企画（文章の中身）を変更することもあります。

• 有益な情報や新事実が明らかになった場合……企画をブラッシュアップする。
• 有用性の低い情報しか得られなかった場合……いったん白紙に戻して、企画を立案し直す。

◉プロセス④……執筆作業／第4章、第5章で説明

　いわゆる「書く作業」です。執筆作業は、さらに「2つ」に分けて考えます。

（1）「どの順番で書くか」を考える（構成）

　矛盾や破綻がないように、情報を正しく提示します。「どの順番で情報を提示すれば読者に伝わりやすいか」を考えながら、書き出し（冒頭）から書き終わりまでの流れをつくります。

（2）「どのように表現するか」を考える（表現）

　情報を正確に、わかりやすく、読みやすく届けるための表現を考えます。比喩、句読点、修飾語、接続詞などを正しく使って、誰が読んでも誤読しない文章をつくります。

　プロセス①で設定した読者ターゲットが「理解できる言葉」を使うのが基本です。文章だけでは伝わりにくい場合、図やグラフを用いて、視覚的な表現を加えると理解しやすくなります。

●プロセス⑤……推敲作業／第6章で説明

　推敲とは、文章を練り直すことです。

「誤字脱字を正す」

「情報に間違いがないか確認する」

「わかりやすい表現に差し替える」

「不快表現、差別表現をチェックする」

　など、加筆修正を加えながら、文章の質を高めます。

　独自性のある企画を思いついても、情報の信頼性が乏しかったり、誤字脱字が多ければ、読み手の信頼を失う可能性もあります。

【文章作成のプロセス例／本書の場合】

●プロセス①……企画立案作業

- 本書のコンセプトを明確にする。担当編集者と筆者（文道）
  で打ち合わせを重ね、仮の目次案（章立て）を作成する。

本書のコンセプト

- 10年読み継がれる文章術の本のロングセラーをつくる。
- 日本の文章レベル（リテラシー）を上げることを目的とする。
- 本書のノウハウを身につけると、「誰が、いつ、どんなときに読んでも嫌な気持ちにならない文章」がつくれるようになる。
- 文章を「書く」作業だけでなく、書く前の準備から書いたあとの推敲まで、すべてのプロセスを体系的にまとめる。
- プライベートでも、ビジネスシーンでも、どちらでも対応できる内容とする。
- 筆者の知見と、文章術の名著100冊を読み込んだ実績を踏まえて、再現性の高い文章術の本をつくる。
- 読者ターゲットは「文章力を伸ばしたい多くの日本人」とする。

●プロセス②……情報収集作業

- 著者2人の知見の棚卸しをする。
- 文章術の名著に書かれてあるノウハウを洗い出す。
- 「文章が苦手な人」の共通点を洗い出す。
- SNS上のトラブルにはどのようなものがあるのかを洗い出

す。

- ●なぜ今の時代に文章力が必要なのか、その理由を考察するための資料を集める。
- ●デザイナー、編集者、校正者、出版プロデューサー、詩人など、一流のクリエイターに取材をし、プロのノウハウを聞き出す。

●プロセス③……情報整理作業

- ●プロセス②で集めた情報を精査した上で、目次（章立て）を練り直す。プロセス①で作成した目次案に加筆修正を加える。
- ●章立てが決まったら、各章に落とし込む項目を考える。

●プロセス④……執筆作業

- ●脱稿予定日（原稿を完成させる日のこと）から逆算して、「いつから執筆を開始するか」「どれくらいのペースで執筆を進めるか」の執筆計画をつくる。
- ●プロセス③で作成した目次案に沿って執筆を開始する（執筆を進めながら、適宜、目次案をさらにより良く変更する）。

●プロセス⑤……推敲作業

- ●編集者へ提出する前に、文道内で推敲を重ねる。
- ●編集者からフィードバック（指示）をもらい、原稿を加筆、修正する。
- ●編集者、校正者、文道で校正作業（誤っている表記、表現を正す作業）を繰り返す。

伝えたいことを、正確に、わかりやすく書く

本書では、文章力を以下のように定義しました。

> ●文章力＝「伝えたいことを、正確に、わかりやすく文章に
> する能力」

小説（文学作品）などは、実用文とは目的が違うため、情景描写や心情描写の美しさを優先しています。

「結末をはっきり書かず読者に委ねる」「読者に想像の余地を残す」こともあります。

ですが、**実用文はコミュニケーションの手段なので、「正確に、わかりやすく書く」ことが大前提です。**

> ●実用文……日常生活などで実際に用いられる文章のこと。
> 事実、情報、意見を相手に伝えるための文章。

SNSやリモートワークの普及により、仕事でもプライベートでも、文章を書く機会が増えています。

「伝えたいことを、正確に、わかりやすく書く」ことができれば、

- コミュニケーションのミスが防げる
- 仕事上のミスが防げる
- 情報が早く正確に伝わるため、仕事の生産性が上がる
- 情報共有が進む（書き手と読者が同じイメージを共有できる）

- 情報を記録、保存できる
- SNS投稿のリテラシー（SNSを正しく理解し活用できる能力）
  が身につく

といったメリットが期待できます。

【文章（実用文）のおもな役割】

- **情報を伝える**

  伝えたい情報（相手が求めている情報）や、自分の意見を相手
  に確実に届ける。

- **読み手の考えや行動を変えさせる**

  読み手の心（考え方、気持ち）や行動を変える。その文章を読
  んだ人に、何らかの行動を起こさせる。

  企画書、提案書、プレゼンテーション資料などのビジネス文書
  には、「提案を受け入れてもらう」「当初の考え（行動）を変えて
  もらう」といった目的がある。

- **記録する**

  情報や事実を記録に残す。

  文章力を伸ばすには、「書く作業」だけでなく、前述した５つの
  プロセスに目を向ける必要があります。

  そこで本書では、文章作成のプロセスを網羅的、全方位的に解
  説します。

再現性が高い「誰でも使えるノウハウ」を紹介

　本書は、再現性のある内容、つまり、

「誰でも身につきやすく、誰でも効果が期待できる内容」

　を紹介するため、おもに２つの視点でノウハウを整理し、掲載項目を検討しました。

視点①／筆者２人のノウハウを整理する

　筆者２人は、約30年、出版の現場に身を置いています。現役ライターとして数々の執筆に携わると同時に、編集者として著者（ライター）の原稿をチェックすることもあります。現在はおもに、書籍の編集協力（著者として表示される人に代わって原稿を作成する役割）として、ビジネス書や実用書の執筆に携わっています。また、2018年以降はライティング講座の講師を務め、「文章が苦手な人」たちに添削指導を行っています。

　本書では、ライターとして、編集者として、講師として筆者が身につけた「実践的なノウハウ」を紹介します。

視点②／「文章のプロたち」のノウハウを整理する

　筆者２人は、2021年に『「文章術のベストセラー100冊」のポイントを１冊にまとめてみた。』（日経BP）を出版しました。この本の制作にあたって、100冊以上の文章術の名著を読み込み、「文章のプロの多くが身につけているノウハウ」を整理しました。

　その結果「文章のプロには、共通点がある」ことがわかっています。

筆者2人のノウハウを紹介するだけでは、内容に偏りが出るため、本書では「文章のプロ」の多くが身につけているノウハウにも言及しています。

　さらに、一流のクリエイターたち（編集者、出版プロデューサー、デザイナー、詩人、校正者）に取材を行い、「文章の書き方、言葉の選び方、誌面や画面の見せ方」について、プロの考えを伺っています（コラムで紹介）。

　本書は、筆者2人の経験と文章のプロのノウハウをもとに、「文章の基本ルール」と「文章を書く上で大切な心構え」についてまとめました。

　職業、年齢、目的を限定せず、多くの人の役に立つように構成しています。本書では、筆者2人の経験を踏まえ、書籍や雑誌の原稿作成のプロセスを中心に紹介しています。

　情報収集のしかた、情報整理のしかた、インタビューのしかた（ビジネスであれば、取引先とのヒアリング）、原稿のつくり方、原稿の見直し方など、出版物を作成するノウハウや考え方は、ビジネスシーンでも活用できるものです。

「ルール」を学べば、誰でも文章が上手になる

　文道がこれまでに出版した文章術に関する本との差別化を意識しながらも、一部、既刊本で紹介済みのノウハウにも触れました。「本当に大切なノウハウ」や「文道が本当に伝えたいメッセージ」は、「繰り返し伝えたい」という思いがあるからです。

【本書の対象者】

- 業務上、文章でやりとりをする機会の多いビジネスパーソン
- 論文やレポートを書く学生、受験生、就活生
- ブログやSNSで情報発信をしている方
- 家族、友人、知人とのコミュニケーションにチャットを利用している方
- プロのライターや編集者（ライターの仕事を副業にしたい方、ライターを目指している方）

　文章が上手な人と、文章が苦手な人の差は「文才の差」ではありません。
「文章のルールに則って書いているか、ルールを知らずに書いているか」の差です。
　文章には、「書き方の基本ルール」があります。本書で紹介するルールを参考にしていただければ、誰でも、
「正確でわかりやすい文章」
「読者の役に立つ文章」
　を書くことができるはずです。

　本書が文章を書くことに苦手意識を持つすべての方の助力となれば、著者としてこれほど嬉しいことはありません。

株式会社文道　藤吉豊／小川真理子

Contents

第2章 | 集める

第3章 構成する

第4章 | 書く

第7章 | 伸ばす

第8章 | 心得る

序章

「上手な文章」とは何か

文章を上手にする5つの要素

そもそも、「上手な文章」とは、どのような文章をいうのでしょうか。「上手な文章」と「下手な文章」には、どのような違いがあるのでしょうか。

「上手さ」は、感覚的で、抽象的で、主観的なものです。人によって文体の好き嫌いもあります。

本書では、文章を上手に書くための要素を以下の5つに分けています。

この5つの要素を伸ばしていくことで、「上手な文章」が書けるようになります（本書は、5つの要素を伸ばすための考え方とノウハウを紹介しています）。

【文章を上手に書くための5つの要素】
①わかりやすく伝える

文章は、意思伝達のツールです。自分の考えや意見、自分が集めた情報、自分が目にした事実を正確に、わかりやすく伝える必要があります。

ただし、「伝えた」からといって、「伝わる（伝わった）」とはかぎりません。**伝えたことを読み手が理解、納得してはじめて「伝わった」といえます。**「伝えたことは、必ず伝わる」「伝えたから大丈夫」との思い込みが、コミュニケーションの誤解につながります。「正確に、確実に伝える（伝わる）」ためには、

「難しいことをわかりやすく説明し、相手にとって理解しやすいように書く」

　といった工夫が必要です。

②論理的に伝える

「論理的に伝える」とは、

「伝えたい内容を明確にして、正しい筋道を立てて、矛盾や破綻なく伝える」

　ことです。頭に思い浮かんだことを、思い浮かんだ順番で文章にすると、同じ内容が何度も出てきたり、文脈が途中で見えなくなったり、話の展開が唐突になったりすることがあります。

　論理的に伝えるには、

「段階的に、順を追って説明し、結論に至った根拠、裏付けを明確にする」

　ことが大切です。

③「相手を不快にさせない表現」をする

　伝える内容が同じでも、表現のしかたを変えると、読み手の気持ちも変わります。

　相手に気持ち良く伝われば、その後のコミュニケーションが円滑になります。強い表現、否定的な表現、雑な表現を避けて、

「誠実に表現し、相手に安心感、信頼感を与える」

　ことが大切です。

④相手に合わせた書き方をする

　読み手がいる文章を書く場合は、「どのような立場の人が」「ど

のような状況で読むのか」を意識します。

相手の「立場」「年齢」「状況」「性格」「知識」を踏まえて、

「相手に合わせた適切な表現をする（適切な言葉を選ぶ）」

ことが重要です。

⑤「相手に配慮」する

コミュニケーションは、双方向です。一方通行では成立しません。お互いの理解があってはじめて成立します。

自分の考えを一方的に押し付けるのではなく、「相手は何を求めているのか」「なぜ相手はそう考えているのか」といった相手の要望や理由をくみ取る姿勢が大切です。

論理的に表現する力があっても、傷ついている人に正論を振りかざすと、相手を追い詰めてしまいます。

相手に寄り添い、その気持ちを言葉で伝えることで、信頼関係が生まれるのです。

「説明的文章」と
「文学的文章」の違いを理解する

　文章は、大きく２つに分類できます。「説明的文章」と「文学的文章」です。

説明的文章

……説明文、論説文、評論文、実用文、ビジネス文書など。

【特徴】

- 読者に理解してもらうことが目的である。
- 直接的な言葉で、論理的に書かれている。
- 読者による解釈の幅が狭い。
- 結論と根拠が明確である。

文学的文章

……小説、随筆、詩歌など。

【特徴】

- 読者に感動してもらうことが目的である。
- 読者の想像力に働きかける表現を用いる。
- 読者による解釈の幅が広い。
- 必ずしも結論が提示されているわけではない。

説明的文章と文学的文章では書き方が違う

　説明的文章で求められる表現と、文学的文章に求められる表現は違います。

　説明的文章に必要なのは「情報を正確に読みやすく伝える表現」です。

　一方、**文学的文章に必要なのは「文章全体に格調、情感、美しさ、余韻を添える表現」**です。

【例文１】……文学的文章

　「四角な世界から常識と名のつく、一角を磨滅して、三角のうちに住むのを芸術家と呼んでもかろう。」（引用：『草枕』夏目漱石／青空文庫）

　例文１は、夏目漱石の小説『草枕』の一節です。「常識に縛られていては、芸術的、個性的な発想はできない」「四角な世界を三角にして住むのは住みにくいが、そんなことさえ気にならないのが芸術家である」といった芸術の本質を表現しています。

　ですが、「芸術家とは○○のことである」と直接的、論理的に説明しているわけではないため、「何を感じ取るか」は読者次第です。読み手の感性、センス、想像力、読解力によって、解釈の広さ、深さが変わります。

　この一節の主旨を説明的文章に書き換えると、次のような表現になります。

【例文2】……説明的文章

「常識に縛られず、自由に発想するのが芸術家である」

例文2は抽象度が低いため、例文1よりも「解釈の幅が狭くなる＝誰が読んでも同じように解釈できる」はずです。

例文1は、夏目漱石という才能が生み出した唯一無二の名文です。例文1のような示唆に富む描写をするには、文学的な才能やセンスが求められます。

一方、説明的文章を書くために必要なのは、才能やセンスではありません。**「ルール」**と**「ノウハウ」**です。

「こういうときは、こう表現する」

「この情報は、この順番で書く」

という「書き方の基本」を身につければ、誰でも書けるようになります。

そこで本書では、「説明的文章」の書き方に焦点を当てていきたいと思います。

説明的文章に必要なのは「明快さ」

説明的文章は、文学作品・芸術作品とは違うので、結論を相手の感性に委ねてはいけません。

「100人が100人、全員が全員、同じ結論、同じ解釈ができる」ように、内容も表現のしかたも、論理的にする必要があります。「これこれ、こうです」と、はっきりしたメッセージを残すことが大切です。

説明的文章に必要なのは、響きの美しさや流麗さ以上に、

「すぐに、そして誰にでも結論が伝わる明快さ」

　なのです。

文章力は
ポータブルスキルである

文章力は「ポータブルスキル」のひとつといわれています。

◉ポータブルスキル……直訳すると、「持ち運びできるスキル
（portable skill）」。特定の業種・職種にとらわれず、どの仕
事でも活用できるスキルのこと。

ポータブルスキルとは、

**「どんな仕事をしていても、どこで働いていても、どんな役職に
就いていても、必要となるスキル」**

のことです。

企画書、報告書、プレゼンテーション資料、ビジネスメール、
ビジネスチャット、履歴書など、職種や職場を問わず、文章を書
く機会があります。

さらに、文章力を伸ばすことは、以下のポータブルスキルを高
めることにも貢献します。

文章を書くという行為は、「情報を集め、整理し、考えをまとめ
て言語化し、相手にわかりやすく伝える」というプロセスに分け
られるからです。

【文章力を伸ばすことで身につく４つのスキル】
①論理的思考力

②読解力（情報整理力）

③コミュニケーション力

④言語化力

これも順番に見ていきましょう。

①論理的思考力

　情報に過不足があったり、情報を提示する順番を間違えたりすると、論理展開が破綻してわかりにくくなります。「相手に伝わる文章が書ける」ことは、論理的思考力が身についていると言い換えることができます。

　論理的に考えることができると、情報の矛盾を見分けられるため、誤った情報に踊らされることもありません。

②読解力

　読解力とは、「文の構造と文の意味を理解する能力」のことです。**読解力は、文章だけでなく、すべての現象を読み取る力の基本です。**

　読解力を伸ばす最良の方法は、「文章を書く」こと。書く力があってこそ、正確に読み取れるようになります。

③コミュニケーション力

　文章力を伸ばすと、自分の考えを明確に、正確に伝えることができるため、コミュニケーションのミスが少なくなります。

　文章を使ったコミュニケーションは、会話以上に、「相手の立場になって考える」姿勢が求められます。「受け取る側の気持ちを考

えて言葉を吟味する」ことで、コミュニケーション力が向上します。

④言語化力

　言語化力とは、「自分の考え」や「周囲の状況」を的確に表現する能力のことです。

　言語化ができないと、

「自分の感情を適切に表現できない」

「新しいアイデアのイメージが浮かんでも、提案できない」

「現場、現実、現物の状況を正確に報告できない」

　といった悪影響につながります。

「自分が見たもの、聞いたこと、感じたことを適切な言葉に置き換える練習」を積み重ねることで、言語化力が養われていくのです。

第1章

企画する

「どう書くか」より
「何を書くか」

　本章でいう「企画する」とは、

「文章の内容を考えるプロセス」

「どのような情報を、どのような切り口で文章にすれば、読者の役に立つかを考えるプロセス」

　のことです。

　思いついたことを思いついたまま書くのではなく、文章を書きはじめる前に、

「何を書くか」

「誰に書くか」

「何のために書くか」

　を考える（＝企画する）ことが大切です。

　文章の良し悪し（読者が満足する文章か、しない文章か）は、表現力だけでなく、企画によって大きく左右されます。

　前提として筆者は、文章の良し悪しを次の３つの視点で考えています。

【文章の良し悪しを決める３つの視点】

①内容の質

②書き方の質

③見せ方の質

①内容の質……何を書くか

【内容の質を高める条件】

- 自分が伝えたい内容と、読者が求める内容を一致させる。
- 「読み手にとって有益な情報」を提供する。
- 情報を集め、精査して、内容に信ぴょう性、説得力を与える。
- その文章を読んだ人に「どう思ってもらいたいか」「どのように行動してもらいたいか」を明確にする。

②書き方の質……どう書くか／表現方法

【書き方の質を高める条件】

- 文章の基本ルールに従って、正確に、わかりやすく書く。
- 読者対象（ターゲット）に合わせて文体を使い分ける。
- 誤字脱字（文字の誤りと文字の脱落）をなくす。
- 破綻や矛盾がないように論理的に書く。

③見せ方の質……どう見せるか／デザイン

【見せ方の質を高める条件】

- 「パッと見た瞬間の文字の見やすさ」（＝視認性）、「文字や文章の読み取りやすさ」（＝可読性）を意識する。
- 書体、文字の大きさ、余白（写真や文字のない白い部分）を調整する。

本を読むのは「知りたいことがある」から

　この３つの「質」の中で、読者の関心がもっとも高いのは、「①内容の質」です。

本やビジネス文書を読む一番の目的は、「知りたいことがあるから」です。

　したがって、読者の「知りたい」「学びたい」「気づきたい」という欲求に応えることが書き手の役割です。

　株式会社丸善ジュンク堂書店が行った「読書環境に関するアンケート調査」（2019年実施／調査人数：丸善ジュンク堂書店の利用者2104名）によると、読書の目的の１位は、「娯楽（趣味）として」で「81％」でした。

　続いて「知識習得のため」で「73％」、そのほか、「自分自身を高めるため」「知的欲求を満たすため」「自分自身を見失わないため」「（学校で）必要なため」といった回答が見られました。

　このアンケート結果からもわかるように、本（実用書、ビジネス書、教養書）を手に取るのは、

「知りたいことがあるから」

「解決したい課題があるから」

「知識、ノウハウ、教養を増やしたいから」

　です。手にした本の内容が薄く、

「具体的なことが書かれていない」

「情報が古い、情報の信ぴょう性が低い」

「解決策が提示されていない」

「代わり映えのない内容で、学びがない」

　としたら、読者の期待に応えることはできないはずです。

100点の文章＝「内容70点：書き方15点：見せ方15点」

　ドラマ、映画、演劇では、「一に脚本、二に役者、三に演出」が

定説だといわれているそうです。

　文章も同じで、「一に内容」です。**文章の良し悪しは、「どう書くか」「どう見せるか」以上に、「何を書くか」で大きく変わります。**語彙力や表現力にすぐれていても、「内容が薄い」と、読者の興味を引くことはできません。

　反対に、少しくらい表現が稚拙でも、内容の質が高ければ、その文章は多くの読者から共感を得られます。

　プレゼンテーション資料やプレスリリース、企画書などのビジネス文書も同様で、もっとも大切なのは「提案の内容」です。

　その文書を受け取る人（受け取る企業）にとって「メリットがある内容」「知りたかった情報」を打ち出すこと。「どう書くか」を考えるのは、提案内容が確定してからです。

　仮に、100人が100人「良い」と評価する文章を「100点」とした場合、その内訳は、

「内容70点：書き方15点：見せ方15点」

　が筆者の実感値です。役立つ情報に触れたとき、新しい気づきを得たとき、知りたかったことがわかったとき、書き手の考えに共感したときに、読者の満足度は高くなります。

　内容において重要なのは、次のページの6つです（次項目以降で各ポイントを詳述します）。

「6つのポイントをすべて満たさなければ、企画として成立しない」わけではありませんが、当てはまるポイントの数が多いほど、内容の質は高くなります。

【内容の質を高める６つのポイント】

①読者の役に立つ内容

　……その文章を読むことによって「良い効果」が得られる。

②独自性がある内容

　……書き手独自の視点、新しいアイデアが盛り込まれている。

③意外性がある内容

　……今までの常識とは異なるノウハウが提示されている。

④信頼性がある内容

　……内容を裏付ける客観データや１次情報が明記されている。

⑤即効性が期待できる内容

　……短期間で効果が得られる情報が提示されている。

⑥読者に関係のある内容

　……多くの人が「自分にも関係がある」と感じる内容、環境や条件を問わず誰でも同じ結果が得られる内容が書かれてある。

　ビジネスシーンでは、企画立案に際して、「コンセプト」と「テーマ」という言葉を使いわけることがあります。

- コンセプト……考え方の軸、一貫した考え方、企画の枠組み
- テーマ……主題、伝えたいこと

　企画について書かれた本を読むと、コンセプトとテーマの違いについて、

「テーマをどのような切り口で実現するかを考えるときの軸がコンセプトである」

「テーマは企画の前提であり、コンセプトはそのテーマをどのように達成するかの手段、枠組みである」

「コンセプトは、『テーマ＋切り口』である」

「企画の大前提がテーマ、テーマを進める指針がコンセプト」

　といった説明がされています。

　たとえば、テーマが「文章力」だとしたら、「論理的な文章を書くための『型』を紹介する」のがコンセプトです。

　コンセプトとテーマは、異なる意味を持っています。ただし、筆者は「使われ方が似ていて、明らかな違いを見出せないこともあるのでは？」と考えています。

　そこで、**本書では、コンセプトやテーマを取りまとめる上位の概念として「内容」という言葉を使っています。**

「内容を考える」とは、「どのような情報を、誰に、どのような切り口で届けるか」を考えることです。

　それぞれのポイントを見ていきましょう。

「読者の役に立つ内容」を書く

　文章の役割のひとつは、

「読者の役に立つこと」

「読者にメリットを与えること」

　です。

　たとえば、以下の２つの文を比べたとき、読者に「メリットを伝えられる」内容が書かれているのは、例文２です。

【例文１】

　新型車には、Ａ社が開発したハイブリッド車専用エンジンが搭載されています。

【例文２】

　新型車は燃費性能にすぐれ、旧モデルと比較した場合、「１リッターあたり10km」長く走ることが可能です。

　例文１には、「ハイブリッド車専用エンジンが搭載されている」という機能的な情報しか書かれていません。一方で例文２は、「ハイブリッド車専用エンジンは、消費者にとってどのように役に立つのか」が書かれています。

　商品やサービスを紹介する場合、スペックや機能だけでなく、

「その商品やサービスを使うと、どんなメリットがあるのか」

を内容に落とし込むことが大切です。

読者のメリットを優先する

　個人的文章の場合、取り上げる題材は「自分」ですから、「自分の書きたいこと」「自分の気持ち、感情、思い、意見」を優先します。

　ですが、論文、レポート、ビジネス文書など、情報発信を目的とする文章の場合、自分の思いを乗せること以上に、

「読者の役に立つ」

「読者が得をする」

　という視点を持って、文章の内容を検討します。

　本書の筆者である文道の2人は、現役ライターとしてビジネス書、実用書の編集協力（執筆協力）に携わっています。私たちの知る著者は、ひとりの例外もなく、

「自分の持つノウハウ、知見、知識を読者の人生に役立てたい」

という貢献意欲を持っています。前述したように、本を読むおもな目的は、「知識を得る」こと。読者にメリットを与えるのが説明的文章（ビジネス文書、実用書など）の役割です。

　文道の藤吉が編集者になったばかりの頃、月刊誌の「料理コーナー（料理道具の紹介ページ）」を担当したことがありました。ところが編集会議で企画を提案しても、なかなかOKがもらえません。当時の上司からは、

「藤吉はその企画をおもしろいと思っているのだろうが、本当に読者の役に立つのか、根拠が薄い。藤吉の伝えたいことと、読者が知りたいことが本当に一致しているのか、再考してはどうか」

という指摘をもらいました。

そこで、かっぱ橋道具街（東京都台東区にある問屋街）に出向き、問屋の店主から「どのような調理道具を、どのように使うと料理の味が変わるのか（たとえば、おろし金の素材とわさびのすり方を変えると、辛味がどう変わるかなど）」を教えていただき、その内容をもとに企画を立てたところ、無事に企画が通りました。料理道具の使い方の提案は、読者の役に立つからです。

「自分の感想」と「役に立つ情報」をセットにする

書き手の個人的、主観的な感想を述べただけでは、読者の共感を得ることはできません。

説明的文章に求められるのは、

「この本を読むと、何かを得られそう」

「この本を読むと、何かができるようになりそう」

「この本を読むと、得をしそう（損をしないですみそう）」

という**読者の期待に応えること**です。

【例文１】……自分の感想だけ

焙煎されたコーヒー豆をはじめて買いました。

インスタントコーヒーとは違って、雑味が少なく、香りや風味がしっかりと感じられました。

【例文2】……自分の感想＋役に立つ情報

焙煎されたコーヒー豆をはじめて買いました。

インスタントコーヒーとは違って、雑味が少なく、香りや風味がしっかりと感じられました。

コーヒー豆は、保存方法が悪いと味わいがすぐに損なわれてしまうそうです。

焙煎士の方から、「コーヒーを最後までおいしく飲みきるには、鮮度を保つことが大切ですよ」と教えていただきました。保存のポイントは次の4つです。

【鮮度を保つ4つのポイント】
（1）密封性と遮光性のある保存容器に入れる。
（2）保存容器に直接コーヒー豆を入れるのではなく、袋のまま入れる。
（3）開封後は冷蔵庫で保存する（未開封なら常温でも保存できる）。
（4）開封後、粉の状態なら10日程度、豆でも30日程度で飲みきる。

「酸素」「紫外線」「高温多湿」を避けるのが、コーヒー豆の劣化を防ぐコツです。

お気に入りのコーヒー豆をおいしく楽しむためには、保存のしかたにも気を配ることが大切です。

例文1は、「焙煎されたコーヒー豆は味わいがある」という個人の感想を綴っているだけです。

　一方、例文2は、書き手の感想だけでなく、「役に立つ情報」（コーヒー豆の保存のしかた）をセットにしています。読んだあとに「知識が増える」のは、例文2です。

「自分の書きたい内容」ではなく、

「読者のメリットになる内容」

「読者の役に立つ内容」

　を書く。**読者の悩み、不安、課題を解決する具体的な方法を提示するのが、説明的文章の基本です。**

【内容の質を高めるポイント②】
「独自性がある内容」を書く

内容の独自性とは、

「書き手独自の視点」

「自分にしか語れない出来事」

「自分が生み出したノウハウ」

のことです。

独自性を出すポイントは、おもに3つあります。

（1）今までにない新しいアイデアを披露する

新しい製品、新しいサービス、新しいビジネスモデル、新しい勉強法、新しい技術、新しいファッション、新しい健康法など、**他に類を見ないアイデアは、多くの人の関心を引きつけます。**

「脳は新しいものが好き」だと考えられているため、

「目新しいもの」

「いつもと違うもの」

「変わったもの」

「めずらしいもの」

を取り上げると、読者の満足度が高くなります。

（2）すでにあるものを新しい切り口で披露する

筆者の会社、「株式会社文道」の名付け親は、「大叢山 福厳寺」の大愚元勝住職です。

43

大愚住職は、経営者、コンサルタント、空手家、慈善家、教育者、セラピストなど、いくつもの顔を持つ異色の僧侶です。

　大愚住職の取り組みには、独自性が見られます。福厳寺は、旧来の檀家制度をあらため、日本ではめずらしい会員制を採用。単立寺院（独立した寺院）として、宗派にとらわれない寺院を目指しています。

「大愚道場（ワークショップ形式の勉強会）」「佛心僧学院（オンライン講座）」「若獅子プロジェクト（職人育成）」「テンプルステイ（宿泊型の仏教体験）」「経営マンダラ研究会（経営者向けの勉強会）」など、他の寺院には見られない取り組みが特徴です。

　仏教の開祖は「お釈迦さま」であって、大愚住職ではありません。仏教の教えは2500年続く普遍的、伝統的なものであって、革新的ではありません。

　ですが、大愚住職は、「仏教という古くからの教えを今の時代（これからの時代）に合わせてコンテンツ化した」という点において、独自性があります。

　大愚住職の初著書『苦しみの手放し方』（ダイヤモンド社）が多くの共感を得たのは、「異色の住職が、独自の取り組みを通して、伝統的仏教を丁寧に解説している」からです。

（3）自分の体験談を披露する

　唯一無二のメソッド、希少性の高い情報、目の覚めるアイデア、斬新な見解は、簡単に見つかるものではありません。

「月並みなアイデアしか思いつかない」ときは、

「自分が体験した出来事」（＝エピソード）

を書くと、独自性が生まれます。自分の体験は、ほかの人には書けないからです。

筆者が執筆のお手伝いをした著者の多くは、「失敗から学ぶことの大切さ」を口にしています。
「失敗の原因を探り、改善することで成功に近づく」という発想は多くの人が認めていて、独自性は低いと思います。
　ですが、
「どんな失敗をしたのか」
「そのときどんな気持ちになったのか」
「失敗の原因は何だったのか」
「どのように改善をしたのか」
「改善後、どのような成果を得たのか」
　といった**「個人の出来事と個人の感情」は、体験した自分にしか語れない貴重なエピソード**です。

伝えたい内容やノウハウに「新しさ」が足りない場合は、自分の体験と関連付けてみる。すると、独自性を表現できます。

エピソードを思い起こすときの4つのポイント

「個人の出来事」「個人の感情」を思い起こすときのポイントは次の4つです。

（1）失敗した出来事（苦労した出来事）を掘り起こす
「失敗談（苦労話）は自分の評価を下げる」と思われがちですが、

まったく逆です。**読者は「マイナス（失敗）」から「プラス（成功）」に転じるプロセスに引き込まれます。**

　失敗談や痛い思いをした出来事を開示すると、「信頼」「親近感」「共感」につながります。

　反対に、自慢話は読者の反感を買います。

「読者の役に立つ」ことが最優先ですから、「自分の存在を多くの人にアピールしたい」「自分の有能さを知ってもらいたい」という自己顕示欲を表現する必要はありません。

（2）はじめて体験した出来事を掘り起こす

　自分がはじめて体験したこと、はじめて知ったことは、それをまだ知らない人、体験したことのない人にとって貴重な情報となります。

（3）自分が不満に思っていた出来事を掘り起こす

　書き手の不満は、読み手の不満でもあります。

　自分の不満、不安、悩みを明かし、その解決策を提示することで、同じ悩みを抱える読者の役に立つことができます。

（4）自分が勘違いしていた出来事を掘り起こす

　自分が勘違いしていたこと、思い違いをしていたこと、間違いを指摘されたことがあれば、読み手も同じ勘違いをしている可能性があります。

【内容の質を高めるポイント③】
「意外性がある内容」を書く

　意外性のある内容とは、

「今までの習慣とは異なるノウハウ」

「多くの人の間違いや勘違いを指摘する内容」

「常識とは『逆』の発想」

「『当たり前』の前提をくつがえす考え方」

　のことです。

【例文1】

　生命保険文化センターが発表した「令和元年度　生活保障に関する調査」によると、73.1％の人が医療保険に加入しています。

　医療保険に加入していれば、病気やケガで入院や手術をした場合に保険金を受け取ることができます。

【例文2】

　お金の専門家の中には、「医療保険への加入」に疑問を投げかける人もいます。

「保険料分を貯蓄に回すほうがお金の自由度は高い」

「公的保障＋貯金で備えるのが基本」

「保険料は年齢に比例して高くなるので、高齢者は貯金をしたほうが損をしにくい」

「高額療養費制度を利用すれば、自己負担額を抑えられる」

　といった理由からです。

　医療保険に入る前に、

「どれくらいの公的保障を受けられるのか」

「どれくらいの貯金があるか」

　を確認することが大切です。公的保障と貯蓄だけではお金の不安を解消できないときにかぎって、医療保険の加入を検討します。

　例文1は、「73.1%のもの人が医療保険に加入している」「多くの人が医療保険の必要性を認めている」「医療保険に入ると、病気やケガに備えることができる」と述べることで、医療保険を全面的に肯定しています。

　一方、例文2は、「医療保険に入るのは当たり前」「みんなが入っているのだから、自分も入ったほうがいい」という常識的な意見に疑問を投げかける内容です。「医療保険に加入すると損をする可能性もある」という別の考えを提示しています。

　意図的に反対意見を投じることで、「医療保険を見直すべきである」「医療保険以外の選択肢もある」「日本の公的保障は充実している」という、読者への啓発につなげています。

　筆者（2人）は、ともに猫を飼っています。猫を育てる中で意外だったのは、「猫の爪は無理して切らなくてもいい」という考え方です。

　猫の爪は何枚もの層になっていて、上の爪がはがれると下から新しい爪があらわれます。「猫も人間と同様に定期的に爪を切らな

くてはいけない」と考えていましたが、必ずしもそうではない。猫の爪は自然にはがれたり、猫が前歯で噛んで取ることがあるからです。ただし、老齢になるなど、何らかの理由で爪とぎができなくなったり、自分で爪をはがせない場合は、切ってあげたほうがいいそうです（参照：『愛ネコにやってはいけない88の常識』南部美香／さくら舎）。

　多くの人が「そう思っていること」「そうしていること」「当たり前にしていたこと」をくつがえす「意外な事実（意外な考え）」は、読者に気づきを与えます。

　定説とは真逆な説や新説など、読み手に「まさか」「もしや」「そんなこともあるのか」と感じさせることがポイントです。

【内容の質を高めるポイント④】
「信頼性がある内容」を書く

　日本新聞協会は、「新聞オーディエンス調査」（全国の15歳以上79歳以下の男女1200人を対象／2023年）を実施し、情報の正確性に関する調査結果を公表しています。

　メディア別の印象や評価を複数回答可で聞いたところ、「新聞の情報が正確である」と答えた人が47.3％でもっとも高く、テレビ38.0％、インターネット19.8％と続いています。

　インターネット（ネットニュース、ネット情報）の正確性が低いのは、「誰もが自由に発信できるメディア」であることが一因です。とくに、個人発信のネット投稿の場合、

- 主観が多く含まれている
- 引用や伝聞が多く、オリジナルの情報源が提示されていない
- 匿名性が高いため、文章に対する責任感が薄い（誰が書いたかわからない）
- 裏付けのないまま発信されている
- 意図的にフェイクニュース（誤情報）を流す人（拡散する人）がいる
- 古い情報が更新されないまま残っている

　といった理由から、新聞やテレビに比べ、信頼性が低くなる傾向にあります。

まとめサイトの信頼性が低い理由

「まとめサイト」「キュレーションサイト」とは、インターネット上に公開されている情報を集めて、整理した（まとめた）サイトのことです（キュレーション：インターネット上の情報を収集、選別、編集して、新たな価値を持たせること）。

読み手には「ひとつのサイトで情報を広く得ることができる」、書き手には「手間をかけず、手軽に集められる情報で記事をつくれる」というメリットがあります。

ですが、次のような問題点が指摘されています。

【まとめサイトの問題点】

- 情報の信頼性が低い（誤った情報や偏った情報が発信されることがある）。
- 実際の取材は行わず、検索エンジン上位の情報を集めただけの無責任な記事も見受けられる。
- 無断転載、無断引用、無断盗用が見逃されやすい（許可なく他者のコンテンツを使用している／著作権を侵害している）。
- 伝言ゲームのように、人から人へ伝えられているうちに内容が変わってしまうことがある。

「まとめサイト」のように情報を集めて、再編集、再構成して発信する場合、

- 不確かな情報は投稿しない

- 他の情報源にもあたる
- 情報源をたどって事実確認をする
- 思惑や憶測の域を出ない情報は扱わない
- 引用、転載のルールを守る

ことを心がけて、信頼できる情報だけを提供すべきです。

内容の信頼性を高める4つのポイント

インターネットにかぎらず、いかなるメディア、いかなる文章も、情報の発信者は、「確度と精度の高い情報」を発信しなければなりません。事実確認をしないまま情報を発信すると、読者を混乱させます。

内容に独自性（ポイント②）や意外性（ポイント③）があっても、信頼性や実効性が乏しければ、内容の質は低くなります。

意外性や独自性は、信頼性をともなってこそ、アイデアとして成立します。

プロのライターは、取材対象者から聞き出した情報を「鵜呑みにして、そのまま書く」ことはありません。**その情報が正しいかどうかを必ず自分でも確認しています。**

筆者は、「各ジャンルの名著100冊を読んで、そのエッセンスを1冊にまとめる」というシリーズを出版しています（これまでに「文章術」「話し方」「勉強法」「お金の増やし方」の4シリーズ）。100冊の中で紹介されているさまざまなデータや数字に関しては、念のため筆者サイドでも確認の上、引用しています。たとえば「お金の増やし方」に関しては法改正や新制度導入などが行われてい

るため、最新の情報を掲載しなければ、読者の不利益となること
があるためです。

　内容の信頼性を高めるポイントは、次の4つです（情報収集の
しかたについては、第2章でも詳述）。

（1）客観データ（数字）を示す

　官公庁統計データ（官公庁で発表されているデータ）、調査機関
によるアンケート集計結果、専門機関による研究データなど。

（2）情報源を記載する

　情報を引用、参考にする場合、「どこからの情報なのか」を明ら
かにします。報道機関の情報や企業の公式見解など。

【例文1】……データなし

　日本の人口は、どんどん減っています。

【例文2】……データあり

　総務省が公表した人口推計によると、2022年10月1日時点
の総人口は、1億2494万7000人。前年比で「55万6000人」
減っています。総人口の減少は、12年連続です。

　例文1は、人口がどれくらい減っているのか、いつから減って
いるのか、本当に減っているのかがわからないため、情報にあい
まいさが残ります。
　一方、例文2は、「情報源」（総務省）と、「客観データ」（総人

口、減少した人数、減少した年数）が明記されているため、例文
1よりも具体的で、情報に信頼性があります。いつから、どれく
らい人口が減少しているのか、誰が読んでも明らかです。

（3）客観的事実を記載する

「こう思う」「こうだろう」という推論だけで終わらせず、実際に
起きた出来事、事実、現実に存在するものを明らかにします。

【例文3】……婉曲的に表現

　新型コロナウイルスによって、多くの会社が倒産に追い込
まれたようです。

- -

【例文4】……事実を断定

　新型コロナウイルスによって、多くの会社が倒産に追い込
まれました。

　2023年6月2日現在、新型コロナウイルス関連倒産は、全
国で5926件判明しています（株式会社帝国データバンク調べ）。

　業種別では、飲食店がもっとも多く（872件）、有名レスト
ラン「A」も資金繰りの悪化により、倒産しました。

　例文3は、「追い込まれたようです」と婉曲表現を使っています。
婉曲表現とは、「現在の状況を踏まえて、自身の感覚を述べる表
現」のことです。事実を断定していないため、読者には不確かな
印象を与えます。

　例文4は、「倒産に追い込まれました」と断定。「全国で5926件
の倒産が判明した」「有名レストラン『A』も倒産している」とい

う客観的事実（実際に起きた出来事）を並べているため、例文3よりも、コロナショックの深刻さが伝わります。

（4）プロフィールを明らかにする

自分（あるいは、話を伺った人）のキャリア、実績、専門分野などを明らかにすると、企画に説得力が加わります。

書き手のプロフィール次第で、読者は「その発言をするにふさわしい人物か、否か」を判断します。

専門家でない人、畑違いの人の発言より、専門性を持つ人の発言のほうが信頼性は高くなります。

【例文5】……専門性がない

ダイエット未経験の私が、これから実践してみたいダイエット方法をお教えします。

【例文6】……専門性がある

管理栄養士として20年のキャリアを持つ私が、これまでの実績を踏まえて、痩せる食事のルールについてお教えします。

例文5と例文6では、後者の内容のほうが信頼できます。

書き手に「管理栄養士として20年のキャリア」がある（＝実績がある）からです。

【内容の質を高めるポイント⑤】
「即効性が期待できる内容」を書く

　実用的なノウハウを紹介するのであれば、
「簡単にはじめられる」
「短期間で結果が出る」
　内容であるほど、情報の価値が高くなります。

　一般的に、「何ごとも努力なしでは身につかない」「新しいスキルを身につけるには時間がかかる」と考えられています。
　ですが、切実な問題に直面している読者は、悠長に構えていられません。いち早く問題を解決するために必要なのは、「すぐにはじめられて、すぐに効果が期待できるノウハウ」です。

> 【ノウハウ１】
> 　５年間の海外留学で、日常英会話を身につける方法
>
> 【ノウハウ２】
> 　３カ月間のオンライン講座で、日常英会話を身につける方法

「５年間、海外に留学する」という方法と、「３カ月間、オンラインで勉強する」という方法では、後者のほうが簡単にはじめられますし、短期間で結果が得られます。

不信に思われないよう、信頼性を担保する

「抱えている課題をいち早く解決したい」「労力をかけずに結果を得たい」と考える読者にとって、「できるだけ簡単に、そしてすぐに結果が出る情報」は有益です。

　ただし、「短期間で結果が出る」「簡単に成果が得られる」と謳う場合、読者によっては「疑わしい」「怪しい」と勘繰ることもあります。「即効性のあるノウハウ」を紹介する場合は、「信頼性」（ポイント④）を担保して誇大表示ではないことを明確にすべきです。

　表現を誇張せずに、

「事実に基づく」

「過度にあおらない」

「オーバーな表現をしない」

　ように配慮します。

【内容の質を高めるポイント⑥】
「読者に関係のある内容」を書く

「読者に関係のある内容」とは、読者が、

「ここに書かれてある情報は、自分の役に立つ」

「ここに書かれてある情報は、自分にも関係がある」

　と興味を示す内容のことです。

　情報に独自性、意外性、信頼性があっても、

「ここに書かれてある内容は、今の自分には関係がない」

「この本を読んでも、自分にメリットがあるとは思えない」

　と判断されると、読んでもらえません。

- 「自分に関係がある」＝「メリットがありそうだから、読んでみたい」
- 「自分には関係がない」＝「自分には必要ない情報なので、読まなくてもいい」

「読者に関係のある内容」を書くためには、次の３つの視点で「何を書くか」を考えます。

（１）読者ターゲット

（２）読者のニーズ

（３）再現性（普遍性）

（1）読者ターゲットをはっきりさせる

「不特定多数の読者」に向けた文章なのか、それとも、「特定のニーズを持つ読者」に向けた文章なのか、読者ターゲットによって書く内容が変わります。「誰に、何を伝えたいのか」が決まると、具体的な内容も決まります。

　たとえば、以下の3つの内容の中で、「もっとも専門性が高く、もっとも読者数が少ない」のは、内容Cです。

　エンジニアにもっとも有益なのは内容Cであり、同時に、一般読者がもっとも「自分には関係ない」と思うのも内容Cです。

- **内容A／「わかりやすく書く技術」**

　……文章の目的を問わず、多くの人に必要な内容を紹介。

- **内容B／ビジネスパーソンのための「わかりやすく書く技術」**

　……「わかりやすく書く技術」の中でも、とくにビジネスパーソンに役立つ内容を紹介。ビジネスメールや企画書、提案書、議事録、プレゼン資料の書き方が中心。

- **内容C／エンジニアのための「わかりやすく書く技術」**

　……ビジネスパーソンの中でも、とくにエンジニアを対象にしたテクニカルライティング（技術文書を書く技術）を紹介。

（2）「読者のニーズがあるか」をはっきりさせる

　内容の質は、読者の「知りたい」「学びたい」「気づきたい」という欲求に応えられているか否かで決まります。

　とくに説明的文章の役割は、

「読者の役に立つこと」

「読者のニーズに応えること」

　です。したがって、読者不在のテーマは成立しません。**「読者不在」とは、「ニーズがない」ことと同じです。**

　以下の内容Ａと内容Ｂを比べた場合、多くの読者が、

「自分にも（自分の子どもにも）関係がある」

「自分の子どものためにも、ぜひ知っておきたい」

　と考えるのは、内容Ｂです。

- **内容Ａ／**３歳から学ぶセパタクロー

···

- **内容Ｂ／**病気から子どもを守る食べ物ランキング

「３歳児にセパタクロー（おもに足、腿、頭を使って、ボールを相手コートに返しあうスポーツ）を学ばせたい」というニーズよりも、「病気から子どもを守る食べ物を知りたい」というニーズのほうが圧倒的に多いはずです。

「読者数が多いと良い文章、少ないと悪い文章」というわけではありません。専門書のように、読者を限定する本もあります。

　一般的な文章であっても、専門的な文章であっても、「読者のニー

ズに応える」ことが文章の役割です。

　多くの読者が興味を示すテーマは、次の８つです。

【読者が興味を示しやすいテーマ】

- 仕事
- 人間関係
- お金
- 病気（健康）
- 勉強
- 恋愛（結婚）
- 食べもの
- 美容

（3）再現性（普遍性）があるかをはっきりさせる

　再現性（普遍）とは、

「時代、環境、条件を問わず、誰でも同じ結果が得られる」

「何度やっても、同じ結果が得られる」

　のことです。意外性、独自性のあるノウハウであっても、実現するための条件や制約が厳しかったり、難度が高すぎたりすると、読者は自分ごとだとは思えなくなります。

　とくに、属人的なノウハウ（特定の個人に依存するノウハウ）は、再現性が低くなります。「あの人は特別。あの人だからできたのであって、自分にはできない」と思われないように、ノウハウを一般化することが大切です。

6つのポイントを踏まえた企画とは

　拙著『「文章術のベストセラー100冊」のポイントを1冊にまとめてみた。』（日経BP）を、前述した「内容の質を高める6つのポイント」に当てはめて考えてみます。

　拙著も、6つのポイントを踏まえて企画されたものです。

　『「文章術のベストセラー100冊」のポイントを1冊にまとめてみた。』は、タイトルが示すとおり、文章術の名著「100冊」のエッセンスを1冊にまとめたものです。

　昭和から令和にかけて出版された「文章術に関する本」の中から、ベストセラー、ロングセラー、話題作を選び、文章のプロが持つ共通のノウハウをランキング形式で紹介しています。

【内容の質を高める6つのポイント】
①読者の役に立つ内容

　文章のプロの多くが身につけている「書き方の基本ルール」を紹介することで、「文章を書くのが苦手な人」「書く力を伸ばしたい人」の役に立つのでは、と考えました。

　テレワークやSNSの普及により、「文章で（文で）コミュニケーションを取る」機会が増え、それに比例して「正しく伝わらない」といったコミュニケーションのミスも増えています。文章の基本ルールを学べば、

「コミュニケーションのミスを減らせる」

「自分の伝えたい内容（あるいは、相手の知りたい内容）が誤解

なく伝わる」

　ようになります。

②独自性がある内容

　文章術の本はたくさん出版されていますが、

「文章術のベストセラー100冊に書かれているノウハウを洗い出し、ノウハウの共通点をランキング形式で紹介する」

　という切り口の本は、これまでにありませんでした。

③意外性がある内容

　洗い出したノウハウを「似た内容」ごとにまとめ、そのノウハウが掲載されていた本の「冊数順」にランキングを決めました。

　ランキングを見ると、「このノウハウがこんなに上位に来るんだ」「このノウハウがもっと上位に来るかと思ったけれど、そうでもないんだ」という意外な気づきがあります。

　たとえば、第3位には、「文章は見た目が大事」というノウハウがランクインしました。

　見た目とは、紙面、誌面、画面を見たときの印象のことです。100冊中36冊に「文章の見た目を整えること」の大切さが書かれてありました。

「文章の見た目」を大切にしている人がここまで多いのは、筆者の私たちにとっても意外でした。

④信頼性がある内容

　次の条件を満たす100冊を調査し、信頼性を高めています。

- 「書き方」「伝え方」「コミュニケーション」をテーマとする書籍
- 「平成元年以降」に、紙または電子媒体で刊行された書籍
- 「ベストセラー」「ロングセラー」の書籍（販売部数や書籍への評価を踏まえて選出）
- 昭和以前に刊行された書籍で、平成元年以降にベストセラー・ロングセラーと認められたり、「年間ベストセラー」ランキングに入ったりした書籍
- 歴史に名を連ねる文豪や、ベストセラー作家が書いた文章論

　さらに、

- 100冊中何冊にそのノウハウが書かれてあったのか、「冊数を明記」している点
- ノウハウの洗い出しを現役ライターの藤吉豊、小川真理子が担当している点

　も内容の信頼性を高めている要素です。

⑤即効性が期待できる内容

　1位から40位までのノウハウのうち、「1位から7位まで」は、基本的なノウハウです。

　7つのノウハウを意識するだけでも、「わかりやすく、正確な文章」の基礎をすぐに身につけることができます。

⑥読者に関係のある内容

　文章力は、ポータブルスキルのひとつです（27ページ参照）。ポータブルスキルとは、

「業種・職種を問わず、どの職場でも活用できるスキル」

　のことです。

　ビジネスシーンにおいても、日常生活においても、「文章を書く機会」は必ずあるため、「文章力」は、多くの人に関係のあるテーマです。

　文章術は、特別なスキルではなく、再現性（普遍性）のあるスキルです。

「書き方の基本ルール」を身につければ、誰でも「正確で、わかりやすく、読みやすい」文章を書くことができます。

編集者

O氏(匿名)

ビジネス書の編集者として、さまざまなベストセラーを手掛けてきたOさんに、「良い企画と悪い企画」「良い文章と悪い文章」の違いについて、教えていただきました。

ベストセラー編集者は、企画書の「どこ」を見ているか?

文道:企画書には、タイトル案、企画趣旨、章構成案(目次案)、読者ターゲット、類書などが書かれてあるのが一般的です。著者や出版プロデューサー(出版社と著者の間を取り持つ仕事)から書籍の企画書を受け取ったとき、企画書の「どこ」を見て、企画の良し悪しを判断していますか?

O氏:もっとも重要なのがタイトル案です。タイトルを見たとき、著者の主張や企画の骨子が一発で伝わらないと、企画としては成立しにくいと感じます。

　タイトルの次に目を通すのは、企画趣旨。私の場合、章構成案(目次案)やプロフィールよりも、企画趣旨を重視しています。理由は、企画趣旨には、書き手の思考や人柄が映し出されることが

多いからです。

文道：Oさんがご自身で企画を立てるとき「最初に著者を決めて、その著者にふさわしいテーマを考える」のと、「最初にテーマを考えて、そのテーマにふさわしい著者を探す」のでは、どちらがお好きですか？

O氏：どちらも好きですし、やりたいですし、やっています。ですが、仕事の効率化を考えるのであれば、後者のほうが適している気がします。

　最初に著者を選んだ場合、著者が書きたいものと、私がつくりたいものがイコールになるとはかぎりません。私が「こういう本をつくりたい」と考えても著者に断られたら、企画は実現しません。ですが、最初にテーマや切り口を固めていれば、著者の選択肢が広がります。Aさんに断られても、Bさんもいるし、Cさんもいるわけです。

　それに今の時代、SNSを使えば誰もが自分をアピールできるため、目新しい著者候補を探すのが難しくなっています。ですので私の場合、「著者を探すより、企画のネタを探す」ことを重視しています。

文道：企画のネタを探すために、習慣にしていることは？

O氏：世の中の動きに関心を持つこと、そして、考えることです。

　たとえば、スーパーマーケットで買い物をするときも、「どんな商品が売られているのか」「どんな商品が買われているのか」「ど

ういう人が買っているのか」「どの商品が値上がりして、どの商品が値下がりしたのか」をよく見て、「なんで、そうなっているのか」を考えるようにしています。世の中の動きがわからなければ、「読者に求められているもの」「読者が必要としているもの」もわかりませんから。

良い原稿と悪い原稿の違いは「熱量」にある

文道：著者から上がってきた原稿を読んだとき、よく書けている原稿とそうでない原稿には、どのような違いがありますか？

Ｏ氏：大きく２つあって、ひとつは「熱量」の違いです。私は「文章は熱量がすべて」だと考えています。熱量というのは、著者の思いの強さです。

　たとえば、「仕事だから書かなければいけない」といった義務感で書く文章と、「伝えたい！　書きたい！」というあふれる思いを能動的に表現する文章では、「伝わり方」がまったく違います。

　熱量の高い人の文章を読むと、「誰に、何を、どうやって、どれだけ伝えたいと思っているのか」「読者にどう変わってほしいのか」、その思いが明確に伝わってきます。

「企画書を読むときに企画趣旨を重視する」のも同じ理由で、「伝えたい！」という熱量を伺い知ることができるかがポイントです。

文道：２つ目の違いは？

Ｏ氏：「下心があるか、ないか」です。下心というのは、「自慢し

たい」「褒められたい」気持ちのことです。

　受け取った原稿を読んだとき、「この著者は自分を自慢したいん
だな」「自分のすごさをアピールしたいんだな」「自分のことを持
ち上げたいんだな」と感じることがあります。

　読者はそんな下心をすぐに見抜きます。「この著者は、自己中心
的な人だ」「この本は、読者の課題を解決するための本ではなく、
著者が自分をアピールするために書いたに違いない」と見透かさ
れたとたん、本を閉じてしまうはずです。

　自分を宣伝したい気持ちが多少はあってもいいと思いますが、
独りよがりにならないこと。本は「読者の役に立つため」に書く
ものですから、主観に偏りすぎないことが必要です。

ビジネス書に求められるのは、シンプルさ

文道：Oさんは、かつて文芸書の編集も担当されていたそうです
ね。ビジネス書の文章と文芸書の文章の違いは何ですか？

O氏：文芸書は、「次はどうなるのだろう？」と先を読ませるため
のエンタメ要素も必要ですし、意図的に強い表現を選ぶことがあ
ります。

　一方、ビジネス書は、「ノウハウを過不足なく伝える」ことが目
的なので、余計な修飾も凝った言い回しもせず、シンプルに書く
のが基本です。

　私の場合は文芸書出身なので、他のビジネス書編集者よりも、
「雰囲気重視」の傾向がある気がしますね。少しくらい文章が拙く
ても、文章の流れが良くて、論理展開に矛盾がなければ、大きく

修正することはありません。

文道：「文章の流れが良い」とは、どういうことですか？

O氏：感覚的なことなので具体的に説明するのは難しいのですが、「流れが良い」とは、「ページをめくる手が止まらない」「読み返すことなく、楽に読める」ことです。

　流れを良くするには、文字量、情報を提示する順番、文と文のつながり、言葉の選び方を意識することが重要です。

軽々しく本を出してはいけない

文道：Oさんが本をつくる上で、大切にされていることは何ですか？

O氏：責任感を持つことですね。以前、テレビ局の方からこんなことを聞きました。その方は先輩から、「1件のクレームがあったら、その裏で1万人が同じことを考えていると思え」と指導されたそうなんです。要するに、メディアにはそれだけの影響力がある、ということです。

　私は、出版にも大きな影響力があると思っています。だから「軽々しく本をつくってはいけない」と肝に銘じているし、興味本位で読者を煽ってはいけない、と考えています。

　たとえば『ガンは○○で絶対治る』といった刺激的なタイトルをつければ、当然、反響があります。ですが、その本の内容に再現性や信頼性が乏しければ、読者にとってはかえって不利益です。

不確実な要素が多すぎたり、１次情報（自分の体験や、自分が調査を行った結果として得られた情報）が拾えていないのに、「刺激的」という理由だけで書籍化してはいけないと思います。

　もちろん、タイトルは目立たせなければいけません。けれど、制限なしに目立たせるのではなくて、自制心を働かせることが必要です。本には大きな影響力がある。そのことを常に意識して、「読者の行動を変える本づくり」を心がけていきたいですね。

第2章

集める

企画に関する情報を集める

　書籍の編集協力（著者をインタビューして本としてまとめる）やWEBの記事作成の仕事では、依頼時に出版社から企画内容が提示されます。

「動脈硬化について○○先生に話を聞いてください」

「子育ての秘訣について○○さんにインタビューしてください」

「○○さんを著者にして、□□の本をつくります。インタビューと執筆をお願いします」

　執筆の仕事を引き受けたら、企画内容やその著者についての情報収集を始めます。原稿執筆には、「情報収集」が不可欠です（ビジネスパーソンが企画書を作成する上でも情報収集は大切です）。

どうして「情報収集」が大切なのか

　なぜ、情報収集が大切なのか。

　それは、

「情報の量と質が、『取材の質』を決める」

「情報の量と質が、『文章の質』を決める」

　からです。

　いい情報がたくさん集められれば、質の高い取材ができます。

　質の高い取材ができれば、質の高い文章（内容）が書けます。

情報収集をするときのポイントはおもに次の3つです。

【情報収集をするときの3つのポイント】
①「多く」の情報を集める
②「新しい」情報を集める
③「正確な」情報を集める

①「多く」の情報を集める
　ライターの仕事を始めた頃、上司から「ライターの仕事は、100の情報を集め10に絞ってまとめること」と教わりました。
　少ない情報で文字数の多い文章を書くと、内容が薄くなります。
　多くを集めて情報を絞っていくことで、中身の濃い記事ができます。したがって、できるだけ「多く」の情報を集める必要があります。

②「新しい」情報を集める
　情報は常に更新されます。記事としてまとめる場合、鮮度が命です。古い情報は読者を混乱させます。
　筆者は『「お金の増やし方のベストセラー100冊」のポイントを1冊にまとめてみた。』（日経BP）を出版していますので、お金の話を例にします。
　たとえば、2024年からNISA（少額投資非課税制度）が新しくなります。年間の投資上限額が引き上げられたり、非課税の期間が無期限になったりして、制度が拡充されました。
　古いままの情報（2023年までのNISA制度の情報）を載せ、もし、読者が鵜呑みにした場合、「投資上限額が少ないから、やめて

おこう」と判断するかもしれません。読者が不利益を被ることになります。

　ライターは読者に役立つ情報を提供するのが使命です。

　古い情報は誤った情報ともいえます。誤った情報の提供は、読者に迷惑をかけ、ライター（書き手）の信用は失墜します。そうならないようにできるだけ「新しい」情報を集めます。

③「正確な」情報を集める

　不正確な情報は読者を混乱させるため、「正確な」情報を集めます。

　新人ライターだった頃、ミスをしがちだったのは「数字」です。

　歴史記事の年代、情報誌に載せる住所や電話番号、料理本の調味料の量など、間違えたり、間違えそうになったことが何度かありました。おもな原因は、ほかの媒体（雑誌など）を情報源にし、確認を怠ったことでした。

　集めた情報は本当に正確か、重ねて確認します（電話番号であれば、実際にかけてみる。料理なら、実際にレシピ通りにつくってみる、など）。

情報ソースを使い分ける

　情報ソース（情報源）はそれぞれの特徴に応じて使い分けます。

インターネットの情報の特徴（詳細は後述）
- リアルタイムで更新されることが多く、鮮度の高い情報を得られる。

- 手元のスマホ、パソコンなどで、「すぐに」「短時間で」情報を調べられる。
- 個人が自由に情報をアップできるため、正確性が担保されているわけではない。
- 合成処理されている画像や動画がアップされており、信頼性に欠ける場合がある。
- 古い情報が混ざっている。

書籍、新聞の情報の特徴

- 取材、インタビューをもとに（1次情報によって）原稿が作成されている（1次情報については後述）。
- 「校正」や「校閲」など、プロの複数の目によって、記載情報の確認が行われており、信頼性の高い情報が得られる。
- 「○○出版社発行」「○○新聞社発行」「著者○○○」など、情報源がはっきりしている。
- インターネットやテレビと比較して、速報性が低い。

専門家（詳しい人）からの情報の特徴

- あるテーマについて、「正確」で「新しく」「多く」の情報である可能性が高い。

自分の体験による情報の特徴

- 実際に「見てみる」「使ってみる」「行ってみる」「体験してみる」ことで得た情報は、「正確性」が高い。
- 記事に起こす直前の体験であれば、鮮度が高い。
- 「独自性」がある。

もっとも確度が高いのは、「1次情報」

　情報は「1次情報」と「2次情報」に大別できます。本書では次のように定義します。

> ● 1次情報……「自分が体験して得た情報、自ら行った調査や実験で得た情報」
> ● 2次情報……「1次情報を持つ人（資料）から得ることのできる情報」

　1次情報には、

- 自分がインタビューをして得た情報
- 自分が映画を観て得た感想
- 自らがアンケート（調査）を実施して得たデータ

　などがあります。自分の体験によるものですから、「信頼性」「正確性」「独自性」が高くなります。

　2次情報には、

- 新聞
- 書籍、雑誌
- 公的機関の発表するデータ

などがあります。新聞社による世論調査や公的機関が行う調査は信頼性が高いといえます。しかし、２次情報は誰でも手に入る（アクセスできる）情報であり、人（他の人）が集めた情報です。**自分が集めた情報（１次情報）に比べると、「独自性」が低くなります。**

　レストランやリラクゼーションサロンなどの記事をまとめる場合、情報を得るには、

①実際に店を訪れて、試食したり、体験したりする（１次情報）
②経営者、お店の方へインタビューをする（１次情報）
③店やサロンが紹介されている雑誌記事を調べる（２次情報）

　が考えられます。

　１次情報を集めるには時間や費用がかかりますが、それだけ価値が高く、１次情報でまとめた記事は奥行きが出ます。ですので、できるだけ１次情報を収集します。

　リラクゼーションサロンの会社の社長をインタビューする、あるいは、ホテルの支配人をインタビューする、といった場合、筆者はできる限り、事前にそのリラクゼーションサロンを体験したり、ホテルに宿泊したりしています。

　体験しておいたほうが、インタビューするときにより深い話が聞けますし、体験に基づいた（１次情報に基づいた）記事が書けるからです。

　インタビュー時に、インタビュイー（取材される人）の関わる企業やショップでの体験を伝えると、インタビュイーが喜んでくれるという副産物もあります（その費用は自費であることがほとんどです）。

　体験しておいたほうが取材も原稿作成もスムーズに進められ、

何よりも体験は自分自身の身になり、仕事も楽しくなります。

1次情報でまとめ2次情報で補強する

　自分で取材をし、体験し、調査して集めた1次情報で原稿をまとめた上で、書籍や新聞の記事、公的なデータを内容の補足や補強に使うと、質の高い文章になります。

　質の高い文章とは、人の役に立ち、内容に独自性や意外性のある文章のことです。

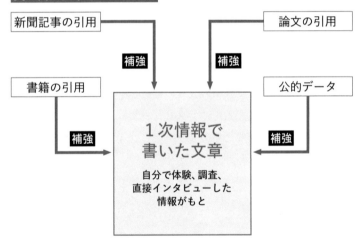

質の高い文章をつくる方法

新聞記事の引用 —→ 補強

論文の引用 —→ 補強

書籍の引用 —→ 補強

公的データ —→ 補強

1次情報で
書いた文章

自分で体験、調査、
直接インタビューした
情報がもと

インタビュイーも知らない情報を見つける

　1次情報と2次情報の使い方として、次のケースがあります。
　インタビューした原稿をまとめる過程で、補足、補強をするた

めに、内容に関連することで、インタビュイーも知らない情報（具体的な話が出なかった情報）を探すこともあります。

　たとえば、インタビュイーが、「今は働く人が減っている」と発言したとすれば、実際にどのくらい減っているのかを官公庁のサイトなどで調べ（２次情報）、原稿に追記していきます。

　実際の推移や数字を入れる（２次情報で補強する）と、

• 発言に厚みが出る
• 説得力が増す
• 記事が立体的（さまざまな角度からとらえること）になる

　といったメリットがあります。読者にとっても有益です。

【補足として調べる情報（２次情報）の一例】
• 著名人、歴史上の人物の名言
　【例】○○○（著名人、歴史上の人物等）も次の言葉を残している。「○○○○」
• 専門家の見解
　【例】○○○（専門家）も次のように述べている。
　「○○○○」
• 内容を補足する数字（研究結果、調査結果）

　原稿は最終的には、インタビュイーが確認します。原稿を確認する段階で、「内容を補足、補強するために、調べた情報を加えている」ことを伝え、不要の場合は削除してもらいます。

ネット情報を
鵜呑みにしてはいけない

　インターネットはすぐに情報を調べられて便利です。しかし、必ずしも信頼性の高い情報とは限りません。

　総務省が発表している「令和3年情報通信白書」によると、各メディアに対する信頼について聞いたところ、

「信頼できる」と答えた項目は、
- 新聞……61.2%
- テレビ……53.8%
- ラジオ……50.9%
- SNS……15.3%

「信頼できない」と答えた項目は、
- 掲示板やフォーラム……44.9%
- 動画投稿・共有サイト……31.0%
- ブログ等その他のサイト……30.6%
- SNS……27.5%

　という結果に（第1章では「新聞オーディエンス調査」の調査結果を紹介。同様の結果になっています）。

さらに「インターネット上のメディアの中でも、ユーザー自身が投稿できるものは信頼が低くなっている」と結論付けています。

誰もが自由に投稿できるサイトの情報については、とくに情報の信頼性を見極める必要があります。

ネット情報の信頼性を見極めるポイント

ネット情報の信頼性を見極めるおもなポイントは次の5つです。

【ネット情報の信頼性を見極める5つのポイント】
①他の情報と比べてみる
②情報の根拠を考える
③情報の発信元を確認する
④オリジナルの情報源を確認する
⑤情報発信の時期を見る

①他の情報と比べてみる

ネットの情報を見るときは、複数の情報源を比べます。

その情報がコピーアンドペースト（情報を複製して貼り付けること）の場合は、複数の情報とは言い難いです。複数の人、複数のメディアが、違う言葉や文章で（それぞれの言葉で）書いている場合は、信頼性が高くなります。

②情報の根拠を考える

情報に触れたときには、必ず、「根拠は何か」を考えるようにします。書かれている根拠が納得いくものかどうかを自分の頭でま

ずは考えます。

「エビングハウスの忘却曲線」という有名な実験があります。ドイツの心理学者ヘルマン・エビングハウスが行った記憶に関する研究です。

忘却曲線は、「人は、一度覚えたことをすぐに忘れてしまう」根拠として引用されることがあります。

拙著『「勉強法のベストセラー100冊」のポイントを1冊にまとめてみた。』（日経BP）を執筆した際、100冊の勉強法の本を熟読したところ、100冊の中にも引用例がありました。

しかし、調べていくと、忘却曲線が示しているのは、「時間の経過によって、どのくらいの記憶が失われるか」ではなく、「一度覚えた内容を再度覚えるためにかかる『時間の節約率』」であることがわかりました。

当たり前のように広まっている情報の中にも、正確ではない情報がまぎれているのです。

③情報の発信元を確認する

正しい情報かどうかを見極めるには、

「誰が出している情報か」

「どこが出している情報か」

を調べます。

【信頼性が高いと思われる発信元】

• 官公庁（国や地方自治体）

• 大手新聞社

• 大手テレビ局

・大手企業　など。

　SNS等で個人が情報を発信している場合は、プロフィールを見たり、前後の発言を調べたりして、信頼に足る発言をしているかどうかも確認します。

④オリジナルの情報源を確認する

　情報の発信元を確認すると、情報の出所（オリジナルの情報源）が書かれていることがあります。その場合は、**情報の出所を見に行き、情報が正しいかどうかを確認します。**

　記事をまとめた人が、オリジナルの情報を読み間違えている可能性があるからです。また、一部の情報だけ（一部の発言だけ）を切り取ってまとめている場合もあります。一部では、発言の趣旨を誤解する場合もあります。

　正しく理解する上で、オリジナルの情報源（全文）を見ることも大切です。

⑤情報発信の時期を見る

　情報発信の時期は必ず確認します。

　ネット上には、古い記事が更新されずに残っています。古い情報をもとに書かれた記事も散見されます。

　日々刻々と情報は更新されています。情報が発信されたときと現在では、状況が大きく異なっている場合もあります。**発信時期を確認せずに、情報を鵜呑みにして記事にすると正確性に欠けます。**情報発信時期を確認し、鮮度の高い情報を取るようにします。

取材前に目を通すべき
7つの情報源

　インタビュー（取材）をする際、企画内容の決定から原稿完成までは、おおよそ次のプロセスで進みます。

【企画決定から原稿完成までのプロセス】
1. 企画内容が決まる。
2. 企画内容に沿ってコメントをもらうのにふさわしい人選をする（インタビュイーを決める）。
3. インタビュイー、企画内容について調べる。
4. 取材依頼書をつくる。
5. 取材依頼をする（取材依頼書を送る）。
6. 取材日程、場所を決める。
7. 取材場所のセッティングをする（貸会議室を押さえる、など）。
8. 質問項目をつくり、取材日より前に（余裕を持って）インタビュイーに渡す。
9. 取材をする（インタビュー）。
10. 原稿を作成する。
11. 原稿をインタビュイーに確認してもらう。
12. インタビュイーからの修正依頼があれば、修正し、原稿を完成させる。

取材が決まったら相手や企画内容について調べる

　取材が決まったら、時間の許す限り、できるだけ多く、相手や企画内容について情報を集めて、頭の中に入れます。

　ビジネスシーンでも、初対面のときは事前に相手先のことを調べておくかと思います。取材もそれと同じです。

　相手の情報を調べておくメリットは次の通りです。

【相手の情報を調べておくメリット】

• 「自分に興味を持っている」と思ってもらえると、相手は心を許し、話がはずみやすい。

• 準備をしっかりしておくと、自分が安心できる。

• 質問（インタビュー）の内容に幅や厚みが出る。

　取材前には次の7つの「相手の情報」に目を通しておきます。

【取材前に目を通しておきたい7つの相手の情報】

• 著作

• 企画内容に関連するものや取材相手が関わった最新の作品（CD、映画など）

• 公式ブログ、プロフィール

• 公式ホームページ

• 動画

• インタビュー記事

• 関連イベントの有無（可能であれば、参加する）

相手が著者で、著作が多く、準備の時間が取れない場合は、最近出版したものと、今回の取材の内容に関連する作品に目を通します。話題に出てくることが多いためです。

読んだ本は、気になるところ、取材内容に関連する部分に付箋を貼っておきます。取材時に付箋を貼った本を持参すると、相手は「自分に興味を持って作品を読んでくれている」と感じて心を開き、取材がスムーズに進みやすくなります。

相手の本業の最新作は必ず確認しておく

筆者が駆けだしライターの頃、インタビューで大失敗をした経験があります。

ある音楽家への「夫婦が長続きする秘訣」についての取材でした。当時は、まだインターネットがなかったので、事前に過去の雑誌をストックしている雑誌図書館に行き、その人の「恋愛観」「夫婦観」などについて過去のインタビュー記事を読み漁り、頭に入れて取材に臨みました。

相手の指定の場所に行き、趣旨を説明し、あらかじめ送っておいた質問項目に沿って、質問を始めました。

すると、その人は5分もしないうちに、突然席を立って「帰りますね」と部屋を出て行ってしまいました。

30分話を聞いて2000字弱の記事にまとめる予定でしたが、質問できたのはせいぜい2つくらい。真っ青です。

失礼な態度を取ったり、失礼な言葉づかいをしたつもりはあり

ませんでした（確証はありません）。

　あとでわかったのは、その方の新しいアルバムが発表されたばかりだったということ。

　推測でしかありませんが、その方の最新アルバムをしっかり聴いて、インタビューの最初にアルバムの話をしていれば、事態は変わっていたのではないかと反省しました。

　結局、取材できた内容に、過去の雑誌記事の内容をリライト（書き換えること）して加えて、夫婦観をまとめ、ご本人に原稿を確認してもらい、なんとか記事をつくることができました。

　この失敗から次の４つを学びました。

• どのようなテーマであっても（本業と関係のないテーマであっても）、相手の本業の最新ニュースは必ず確認する。
• 最新の作品があれば、必ず読んだり、聴いたり、見たりしてから取材に臨む。
• インタビューでは、必ず、相手の最新作について触れ、自分の感想を述べる。
• インタビューでは、自分が聞きたいことだけを聞くのではなく、相手が聞いてほしいことも聞く。

　この４つは今も取材相手に対する最低限の礼儀だと肝に銘じています。

質問項目は事前に相手に渡す

　取材相手の情報収集と並行して、取材前に何を聞くか考えます。「すでに知れ渡っている事実」をわざわざ聞く必要はありません。

　たとえば、「AIが10年後の未来に与える影響」というテーマで専門家にインタビューする場合、AIについての基礎的な情報（「AIとは何か」など）は事前に調べ、頭に入れておきます。

　取材時間は限られています。**読者が知っていることを聞くのに時間を使うのではなく、「読者が知らないこと」を聞き出すのに時間をかけます。**

事前の情報と企画意図に沿って、「質問項目」を考える

　取材に先立って、事前に調べた情報、企画意図に沿って、実際に質問項目をつくっていきます。聞くのは、

「自分が聞きたいこと」

「相手が話したいこと」

「読者が知りたいこと」

　です。

　駆けだしライターだった頃は、取材現場で緊張して頭が真っ白になることを想定し、1時間のインタビューに対して、20個ほど質問項目を考え、プリントして取材場所に持っていきました。

ひとつの質問に対して相手が3分で答えると、だいたい1時間になる、という計算でした。

　はじめのうちは、相手が答えたことに対して深堀りできなかったので、質問項目を見ながら、ひとつひとつ聞いていきました。

　多めに項目を考えていくと、記事としても何とかまとめられました。

　慣れてくると、ひとつの質問に対して、相手とキャッチボールをしながら、インタビューができるようになっていきます。

　質問数は自ずと少なめの設定（本当に大事なエッセンスのみ）になります。

質問項目は事前に相手にも渡しておく

　質問項目をつくったら、事前に相手にメール等で渡しておきます。

　取材に慣れている人（著名人、政治家など）であれば、事前に質問項目を渡さなくても、さくさく答えてくれる場合もあります。

　しかし、取材に慣れていない場合は、取材をされるだけで緊張しますし、その場で急に質問をされると、回答を考えるのに時間を要する場合もあります。

　事前に質問項目を送っておけば、インタビュイーは、回答の準備ができますので、取材がスムーズに進みます。

2つの質問形式を使い分ける

　質問形式には「クローズドクエスチョン」と「オープンクエスチョン」の2つがあります。

　うまく使い分けると、相手は話しやすくなります。

クローズドクエスチョンは相手が答えやすい

● 「クローズドクエスチョン」……「クローズド」は「閉ざされている」の意味。あらかじめ回答の選択肢が決められた質問のこと。「はい」「いいえ」の二択や「AかBかCか」の三択の質問などがある。

【例1】……「はい」「いいえ」の二択

質問「エジプトに行ったことはありますか？」

回答「はい」

- -

【例2】……「AかBかCか」の三択

質問「バカンスで行くなら、山、海、町中のどこがいいですか？」

回答「海ですね」

2つの例文は相手が「限られた選択肢のなかから回答をする」クローズドクエスチョンです。

クローズドクエスチョンの特徴
- 相手の考えや事実が明確になる。
- 相手が答えやすい。
- 会話が広がりにくい。
- 多用すると、相手に尋問されているという印象を与える。

オープンクエスチョンで多くの情報を得る

◉「オープンクエスチョン」……「オープン」は「開かれている」の意味。相手の回答に制限がない。自由な幅広い回答を引き出せる。

【例3】

質問「御社の新製品ロボット掃除機Ａは、家庭にどんな変化をもたらしますか」

回答「家族の笑顔が増えます」

質問「それはいいですね。なぜ、笑顔が増えるのですか」

回答「家事が時短できますので、家族で話をする時間が増えるからです」

オープンクエスチョンでは、相手の考えを具体的に引き出すことができます。オープンクエスチョンをつくる際には、「５Ｗ１Ｈ」を活用します。

【５Ｗ１Ｈで質問をつくっていく方法】

• When（いつ）

「新製品はいつ発売になりますか」

• Where（どこで）

「そのイベントはどこで実施するのですか」

• Who（誰が）

「誰をターゲットにするのですか」

• What（何を）

「次回の会議のテーマは何ですか」

• Why（なぜ）

「なぜ、問題が発生したのですか」

• How（どのように、どうやって）

「どうやって販路を広げるのか、具体的に教えてください」

オープンクエスチョンの特徴

• 多くの情報を得られる。

• 相手の考えを具体的に引き出せる。

• 回答を得られるまでに時間がかかる場合がある。

• 回答者が答えに窮する可能性もある。

最初はクローズドクエスチョンで聞く

相手が答えやすい「クローズドクエスチョン」、次に具体的に情報を引き出せる「オープンクエスチョン」の順番で聞くと、相手は答えやすくなります。

【例4】

質問「あんずは好きですか?」(クローズド)

回答「はい」

質問「どうやって食べるのが好きですか」(オープン)

回答「あんずジャムが一番です。季節になると自分でつくります」

質問「おいしいあんずジャムをつくるコツを教えてください」（オープン）

回答「よく熟したあんずでつくるとおいしくできます」

質問は「広げる」「進める」「深める」の3つを意識

「ほかには」「それで」「それから」「どうして」「なぜ」の言葉を意識して使うと、相手の話を引き出しやすくなります。

・広げる……「ほかには、どのような事例がありますか」

・進める……「それで、どうなったのですか」

　　　　　　「それから、何が起こったのですか」

・深める……「どうして、そう考えたのですか」

　　　　　　「なぜ、そうしたのですか」

メッセージとエピソードをセットで聞き出す

　インタビュイーのメッセージ（主張）のみを書くと、独自性に欠ける場合があります。**独自性を生むのはエピソードです。**独自性があると、内容が深まって、読まれる文章になり、説得力も増します。

【例5】
質問「コミュニケーションを円滑にするために、大切にしていることは何ですか」
回答「感謝の気持ちを伝えることです」
質問「感謝の気持ちを伝えたことで、実際にコミュニケーションが円滑になった事例があれば、教えてください」
回答「営業で取引先企業のA社を訪問したときに、私の至らなさからお叱りを受けました。私のことを思ってのお叱りの言葉と受け止め、感謝の気持ちを伝えたところ、関係性がよくなりました」

「感謝の気持ちが大切」と主張するインタビュイーは少なくありません。主張だけを文章にすると独自性を出しにくくなります。
　そこで、
「実際にどんなことがあったのですか」
「それを実感した具体的なエピソードがあれば教えてください」
　などのように質問をして、エピソードを聞き出します。

「メッセージ（主張）＋エピソード」

　をセットで聞くように心がけましょう。

インタビュイーの考えを否定しない

　インタビュー中に、自分の考えと違うことをインタビュイーが言ったとしても「あなたは間違っている」「それは賛成できません」と否定はせず、相手の考えをすべて聞き出します。

　一方的に反対されれば、相手は気分を害します。気分を害しては、情報を聞き出すのが難しくなります。

　「相手の意見を否定しない」のは、「相手の意見に迎合する」のとは違います。自分の意見、一般的な考えを伝え、それについての考えを聞くことも大切です。

【自分の意見を伝えるときの手順】

1．相手の話をすべて聞く。

2．その考えに至った経緯を聞く。

3．いかなる意見でも、まずは意見を受け止め、理解したことを伝える。

4．自分の意見を述べる。

　ここで注意するのは、「4．自分の意見を述べる」際に、断言はしないことです。反対意見を投げかけるときは、婉曲的に質問をします。

【例6】

「お考えはよくわかりました。一方で、世間では○○○という意見（指摘）もあるようです。それについてはどう捉えていますか」

反対意見を述べるときに、「しかし」「そうではなく」のように逆接や否定する言葉は使いません。相手の抵抗感や反発心が強まるからです。

「一方で〜」「ただ〜」を使い、否定のニュアンスをやわらげます。

取材時のノートの取り方、音声の録音のしかた

取材をする際には、話に集中するため、そして、相手の発言を正確に記録するため、ICレコーダーで音声を録音します。ICレコーダーは取材中の不調に備えて2台用意して録音します。

必ず、「録音をします」とインタビュイーにひとこと断ってから、開始します。オンライン取材の場合も、「取材の模様を録画させていただきます」と断ります。

何も言わずに録音、録画をするのは、マナー違反です。

取材相手が録音に対して不安なそぶりを見せた場合は、

「録音内容は取材のメモとして使うこと」

「取材メモとして以外には使わないこと」

「取材後は消去すること」

などを伝えます。

録音しながら、メモも取ります。

うなずきながらペンを走らせると、インタビュイーに真剣さが伝わります。同時に、インタビュイーは「相手（聞き手）の参考になることを言った」と捉え、どんどん話をしてくれる可能性が高くなります。

取材前にチェックしたい持ち物リスト

インタビューに行く際は忘れ物をしないようにします。基本的な持ち物は次のとおりです。

【取材に行くときの持ち物リスト】

- 名刺
- 筆記用具
- ノート
- IC レコーダー（2台）
- 質問項目のプリントアウト（インタビュイー分と2部）
- 見本誌（あれば）
- そのほか資料（インタビュイーの著作など）
- カメラ（撮影する場合）

【上手なインタビューのコツ③】
快諾がもらえる取材依頼書とは

　インタビューを申し込む際には、相手に取材依頼書をメール添付等で送ります。取材依頼書の書き方ひとつで快諾してもらえたり、断られたりします。

　取材を引き受けてもらえなければ、インタビューは始まりません。相手の心を動かす取材依頼書をつくることが大切です。ポイントを押さえた取材依頼書のテンプレートを覚えておきましょう。

　取材依頼書を書くときのポイントは次の6つです。

【取材依頼書の6つのポイント】
- 取材内容、企画趣旨を伝える。
- 「なぜ、取材を依頼したいのか」「今回の企画に相手がふさわしい理由」を明記する。
- 相手にとってのメリットを伝える（あれば）。
- いつまでに取材を終えたいのかを記す。
- 撮影の有無。
- 謝礼の有無。あれば金額を明記する。

取材にふさわしい理由が相手の心を動かす

　ポイントの中でも大切なのは、「取材内容、企画趣旨」「相手が今回の企画にふさわしい理由」「相手にとってのメリット」です。

取材依頼書はラブレターに似ています。

OKの返事がほしいわけですから、

「自分がどれほど相手に登場してほしいのか」

「なぜ、その人がインタビュイーにふさわしいと思っているのか」

を心を込めて明記します。

相手にとっての謝礼以外のメリット（著作、新作の紹介をする
など）があれば、忘れずに書きます。

謝礼の有無も必ず明記します。

俳優や著名人のインタビューの場合、映画やテレビの番組宣伝
（番宣）、新曲や書籍のPR記事を掲載することを条件に謝礼なし
でお願いしたこともあります。

ただ、取材といってもビジネスです。相手に時間を取ってもら
うのですから、謝礼は些少であっても支払うのが基本です。

メールに添付する場合は、メール文にいつまでに返事をもらい
たいか明記します。

【例文】

お忙しい中、誠に恐れ入りますが、

○月○日までにお返事をいただけると幸いです。

取材依頼書

202X年8月1日
○○○編集部 （自分の氏名）
（連絡先電話番号）
（連絡先メールアドレス）

【はじめに】
　○○○編集部では、「料理の腕が劇的に上達するコツ」の特集を企画しています。
　○○○さまは、料理に関する数多くのベストセラーがあり、とりわけ、簡単で誰にでもつくれるレシピについて定評があります。今回の企画について、○○○さまに登場していただくのがふさわしいと考えています。
　○月に発売予定の○○○さまのご著書に関しても、ぜひ、ご紹介させてください。
　つきましては、インタビュー取材をお願いしたく、取材依頼書をお送りいたします。下記内容について、ご賛同いただき、ご協力いただければ幸いです。

【掲載媒体について】
■媒体名：ウェブサイト「○○○○○」
■会員数：○○名
■配信予定日：○月○日
■読者ターゲット：30代の子育て中の親
■媒体URL：http:/XXXXXXX.com/

【取材内容】
■○○○さまにインタビュー（4P）をお願いします。
　「簡単に料理の腕が上がるコツ」についてお伺いします。

■伺いたい内容：

　①○○○○○○○○○○○○○○○○○○○○○○○○○

　②○○○○○○○○○○○○○○○○○○○○○○○○○

　③○○○○○○○○○○○○○○○○○○○○○○○○○

■撮影：取材風景およびプロフィール用の写真を撮影します。

■取材所要時間：撮影を含め2時間の予定です。

■日時：202X年10月1日（月）〜10月31日（金）の間でご相談させてください。

■場所：都内のご指定の場所に取材スタッフ（編集者、ライター、カメラマンの3名）が伺います。

　※対面が難しい場合は、オンライン取材でも構いません。

■原稿確認：掲載前に原稿をご確認いただけます。その際のスケジュールは下記となっています。

　　　　○月○日に原稿のお渡し。

　　　　○月○日にお戻し。

■謝礼：薄謝ながら2万円（手取り）を予定しております。

　何かご不明な点がありましたら、ご遠慮なくお問い合わせください。以上、ご検討いただければ幸いに存じます。

【「すぐに身につく」取材テクニック①】
相手の目を見る

　取材中は相手の目を見て話をします。
「アイコンタクト＝目を合わせること」は、相手との信頼関係を築く上で大切です。

　取材中に目を合わせるメリットは、おもに次の３つです。

【取材中に目を合わせる３つのメリット】
- 相手が「自分に関心を持ってくれている」と思う。
- 相手の心の動きを知ることができる。
- 目を合わせていない場合、「嘘をついている」「自信がない」と思われる。

　ただし、目だけを凝視しないようにします。
　見つめすぎると相手に居心地の悪さを与えかねないからです。
「ときおり目線をはずす」
「目の周辺も見る」
　といいでしょう。

　目を合わせると緊張してしまう場合は、無理をせず、相手の「口元」や「眉と眉の間」などを見て話します。
　ただし、「会話の最初と最後」や「大事なメッセージを伝えたい

とき」は目線を合わせます。

オンラインではカメラと視線の高さを合わせる

目を合わせる際には、視線の高さを合わせます。

相手が座っている場合は、自分も座り、相手が立っている場合は、自分も立ちます。

目線を合わせたほうが、お互いに親近感が生まれるからです。

オンライン取材の場合、自分の視線の高さとカメラの位置を合わせます。

デスクの上にパソコンやスマホを置いたままの場合、内蔵カメラの多くは、目の高さより下にあるため、視線を下げることになります。すると、相手は上から見下ろされている印象になります。

積み上げた書籍や雑誌などの上に乗せたり、三脚を使ったりして、カメラと自分の視線を水平の高さにすることが大切です。

オンライン取材では、イヤホンやマイクを使うと、相手の話がクリアに聞こえ、こちらの話もクリアに伝わります。

【「すぐに身につく」取材テクニック②】
「相づち」と「うなずき」を使いこなす

　話を聞くときは、「相づち」を打ったり、「うなずき」を意識します。相手は、聞き手の反応を見ているからです。

「相づち」とは、相手の話の調子に合わせた受け答えのことです。
「うなずき」とは、肯定の気持ちをあらわすために首を縦に振ることです。
「相づち」や「うなずき」は、
「あなたの話をきちんと聞いています」
「あなたの味方です」
「安心して話してください」
　のサインです。

　上手に相づちを打つことで、相手が喜んだり、気持ちが高まったりして、多くの情報を聞き出すことができます。

【取材中に使いたい相づちの候補】
「はじめて聞きました！」
「すごいですね」
「知りませんでした」
「読者の方にも絶対に参考になると思います」
「そうなんですか」

「いいお話ですね！」

「わかります」

「私もそう思います」

「それで、どうなったんですか？」

　逆に感じの悪い相づちを打つと相手に悪い印象を与えて、話が盛り上がりません。

【取材で避けたほうがいい相づち】

「本当ですかぁー？」

「うっそー」

「はいはい、わかりました」

　うわべだけの相づちでは、相手の心に届きません。

　相手への尊敬の気持ちを持って、興味を示し、感情を込めて相づちを打ちます。

　テレビや動画サイトのインタビュー番組はとても参考になります。プロの聞き手がどのように相づちを打ち、どのような表情をして、相手から話を聞き出しているのかを見てみましょう。

　真似をすることで、身につけられます。

詩人に学ぶ「言葉選び」の極意

牧村則村
(まき　むら　のり　むら)

詩人の牧村則村さんは、2021年、矢継ぎ早に2冊の詩集を出版しました。「いじめられている」状態の子どもたちに言葉を届けたかったからです。かつて週刊誌の記者やカルチャー誌の編集長も経験し、実用文の世界を知り尽くす牧村さんが、なぜ「詩」の言葉にこだわるのか。その理由や、詩人ならではの言葉選びの極意について伺いました。

Profile

東京大学ロシア語ロシア文学専修課程修了。1979年新潮社入社。82年第19回「現代詩手帖賞」受賞。83年に詩集『かぐわしき食卓のカノン』（思潮社）を上梓。84年新潮社を退社、流行通信社に移籍し、月刊誌『STUDIO VOICE（スタジオボイス）』編集長を務める。89年、独立し出版・編集・広告制作の会社を設立。以降、クリエイティブ・ディレクターとして、さまざまな書籍、雑誌、広告、展覧会等を手掛ける。現在は、よみうりカルチャーセンターにて、講座『詩作であなたの言葉を見つけよう』の講師を務める。詩集に『薔薇熱』『いまいじめられて泣いているきみに』（電子書籍）等がある。大久保博則名による著書に『にっぽん五世代家族』（中央公論新社）、『江戸・東京百景 広重と歩く』（角川SSコミュニケーションズ）ほか。

詩は自分を「明確」に表現することが大切

文道：牧村さんは『週刊新潮』の記者やカルチャー雑誌『STUDIO VOICE』の編集長をなさりつつ、並行して詩人としての活動もしてこられました。雑誌などで使う一般の文章と、詩の言葉との違いがあれば、教えてください。

牧村：一般の文章は、不特定多数の人に対して明確に物事が伝わらないといけません。詩の場合も「明確さ」は大切です。

　ただ、明確さの意味が違います。詩の場合、もっとも求められるのは、自分が考えていること、思ってること、感じていることを明確に表現することです。

　読者を想定していないわけではありません。自分の思いを誰かに伝えたいという気持ちはあります。けれども、相手に伝わるかどうか以上に、自分を明確に表現できているかが大事なんです。ある意味、エゴイスティックな面があると言えます。

　そこが詩と一般の文章の大きな違いです。

　ただ、詩と一般の文章を書く際に気を付けるべき共通のポイントもあります。

文道：気を付けるべき共通のポイントを教えてください。

牧村：たとえば、一般の文章では、「私は〜と思います」と書きますね。気を抜くと、何度も「思います」で終わる文が続いてしまう。同じ言葉の繰り返しは単調になるから、「思います」を「考え

ています」「〜するつもりです」等に書き換えたほうがいい。

　語尾であれば、文末にバリエーションが出ると、とても読みやすくなります。

　詩の場合も、基本は同じ言葉を繰り返さないように展開していきます。できるだけ別の言葉を紡いでいく。けれど、詩にはリフレインという逆の手法もあります。意図的に同じ言葉を繰り返してリズムを刻んでいく。中原中也の有名な詩『汚れつちまつた悲しみに』では、何度も「汚れつちまつた悲しみ」が繰り返され、心に訴えかける効果を生みだしています。このやり方を一般の文章に用いるとくどくなりますね。

　また、一般の文章では、「〜ですが、〜」という表現は使わないほうがいい。曖昧にせず接続詞の「しかし」を使って「逆接」であるのか、「だから」を使って「順接」であるのかはっきりさせます。

　それから、できるだけ、長い文章ではなく、短い文章をつないでいくことで、文意が明らかになり、「良い文章だね」と言われるようになります。詩も短い言葉の塊を連ねることで、リズムが生まれ、ひとつひとつの言葉も心に残るのです。

投稿を繰り返すうちにいつしか詩人になっていた

文道：牧村さんはどこで詩を学ばれたのですか。

牧村：母親が、僕が小学校に上がる前になぜか「これに詩でも書いてみたら」と布張りの立派なノートをくれたんです。それが始まりです。小学校でも、当時は詩を書かせられることが多く、自

分の詩が優秀作として選ばれました。それで、気を良くして。有名な教育者、国分一太郎の書いた『よい詩よい文』という本を買ってきて読み始めました。そこに良い詩の例がたくさん載っていたんです。

　その頃は、今とは違って、詩が衰退していませんでした。

　当時、我が家では読売新聞を取っていて、そこには、読売俳壇、読売歌壇のほかに今は亡き（笑）読売詩壇という投稿コーナーがありました。

　そこに投稿して載ることがあり、褒められて、またまた気を良くしてどんどん詩を作るようになりました。

　高校生になると、詩の専門誌に投稿するようになりました。優秀作品として選ばれると選者の評価も出ますので、それを読んで「ああなるほど」と思い腕を磨いていきました。

　社会人になってからは、当時、存在感のあった『現代詩手帖』（思潮社）という詩の雑誌に応募するようになりました。週刊誌の記者をやっていたので、自分の世界は本当はここにあるんだという思いで詩作を続けていました。

　そのうちに年間最優秀賞に選ばれて「現代詩手帖賞」受賞となりました。あの頃は、小説の世界でいえば、群像新人賞くらいの賞でした。受賞者は処女詩集を出すことが約束されていました。

　当時は投稿者が大勢いました。今は写真評論家で著名な飯沢耕太郎さん、映画監督として名を馳せている園子温さんも僕と同じ頃、よく投稿していました。

　園さんは、のちのインタビューで、「詩人になれなかったので映画監督になった」と語っていた気がします。

文道：投稿すると自分の作品が人から批評されます。「人からの批評が怖い」という人もいます。牧村さんは批評されるのは怖くなかったですか？

牧村：選者は著名な詩人です。的確に批評してくれ自分でも気づかなかったことを指摘してくれるから、逆に励みになります。

文道：「投稿する」のは、詩の上達のためにいいわけですね。

牧村：投稿の先に賞があります。賞を取りたいから、いい詩を書こうと思うわけです。若手の気鋭の詩人、最果タヒさんも、現代手帖詩賞を取っています。2017年には、彼女の詩のタイトルに刺激された映画も公開されています。『映画 夜空はいつでも最高密度の青色だ』（監督／石井裕也さん）です。
　詩人で表に出てくる人がどんどん現れてほしい。

気になった言葉はとことん調べる

文道：文章は書くけれど、詩は書いたことがありません。そもそも詩はどうやってつくるんですか？

牧村：僕の場合、昔から辞書とか、事典とか、いろいろな図鑑が好きで、気になる言葉や地名、生物、植物などがあると反応して、まず調べます。たとえば、偶然、とてもきれいな虫を庭で見つけ、昆虫図鑑で調べると「ハンミョウ」という虫でした。「ハンミョウ」という言葉と、そのなんとも言えない美しさが結びついて、

イメージがふくらみます。「ハンミョウ」という言葉は頭に刻まれ忘れられません。また、食べ物も好きで、たとえば「ソラマメ」とか「レンコン」「煮浸し」や「おかかまぶし」などという響きに惹かれます。惹かれると頭のどこかに引っ掛かるので、そのまま置いておきます。

　詩を書いていると、頭に置いておいた言葉たちが出てきます。「降りてくる」と表現する人もいますね。

「鍋が笑う」とか、「犬が歌う」とか。ふっと思いついた言葉も頭に残っていて、それが詩を綴っているときに出てきて、ぴったりはまるときがあります。

　あるいは、何となく思い浮かんだ「ボタンを飲む」という言葉を書いてみると、次に「青いアヒル」という言葉が出てきたりする。そして「アヒル」が「真昼」に換わり、「ボタン飲む／青い真昼」という詩行が生まれる。こんなふうにひとつひとつの言葉を書いたことで、次々に言葉が出てくるパターンもあります。

文道：気になった言葉を頭に置いておくことが大切なんですね。

牧村：気になった言葉だけでなく、気になったことからも、詩が生まれます。いま気になってるのは、横浜の掘割川にたくさんのクラゲがぷかぷか浮かんでいる光景です。河口近くやがて海に注ぐ辺りです。その光景に衝き動かされるものがあって何かを生み出したいという気持ちが生まれました。

　ネットで調べてみたら、クラゲは自分では泳げず、流されるだけなのだそうです。

　結局、海に繋がってる川だから、自分の意志とはかかわらず逆

流してきてるんだな、と思うわけです。哀しいような、人生と重なるような、そんな感じがしました。

　こういうたわいのないことをいつも考えています。何かしようとするわけじゃないけど、頭の片隅にいつもクラゲのイメージが浮遊していて、それがいつか詩となります。

気になる言葉は調べて頭の中にストックしておく

文道：何かに書いておくんですか。頭の中にストックしていくんですか？

牧村：「この言葉はいいな」と思ったら、スマホやメモ帳に書くことはありますが、たいていは頭の中ですね。はじめて出合った言葉の場合は必ず調べます。

　頭の中に置いておくと、いつか熟するときがあります。

　熟成していなくても、書き始めてみると、イメージが湧いてくることもあります。

文道：詩をつくるときは、はじめにテーマを決めて書くのではなく、言葉ありきなのですか？

牧村：言葉ありきのときもありますし、印象付けられた情景から生み出すこともあるし、ごく稀に「書かなければ」と思って詩をつくることもあります。

　Amazonの電子書籍『詩集　いまいじめられて泣いているきみに』という詩集は、「書かないといけない」という思いで編みまし

た。

　金子光晴という詩人がいます。「おっとせい」という学校の教科書に載っている詩の作者です。オットセイのことを描きながら時代の批判をしています。

　僕は、彼とは違って、今の日本の状況に対する批判を詩にする力量はないけれど、いじめられて泣いてるような子たちに対して、そこから脱出する助けになるような詩を書かないといけないと思ったんです。

詩人は人を驚かせる仕事

文道：牧村さんは、元々新潮社にいらしたし、一般の文章で表現もできる。自分の伝えたいメッセージを伝えるとき、実用的な文章でストレートに伝えるのではなく、あえて詩にメッセージを乗せるのは、どうしてですか。

牧村：僕の場合、実用的な文章をつくるのは仕事でした。それは、文章のルールに則ってやっていかなければいけないものです。

　逆に詩はルールを壊すところがある。「新鮮な驚き」「新鮮な発見」を自分もするし、読者にもしてほしいという思いがある。それに、詩は感性に訴えるものですから、情感やメッセージも伝わりやすいはずです。

　一般の文章は読者が100人いたらできるだけ全員に正確に話を伝えなくてはいけませんよね。

　一方で、詩は、共感する人が世界にひとりでも10人でもいい。

　誰も気づかないけれど「なんかこれすごいきれい！」と思った

ことや、言葉の突飛な組み合わせから生まれる違和感や新鮮なイメージ、あるいは「悲しい」という言葉では表現し尽くせない「悲しさ」を表現していく。そこには一般の文章のルールは、なくていいんです。

たとえば、月を見て、「きれいだな」だけじゃなくて、僕はこれって平安時代の人も江戸時代の人もみんな見てたんだよねといつも思う。どんなことでもいい。読者に何かしら新しい気づきをしてほしいという思いが強いんです。

普通の実用文では、突飛なことを書いたらダメですよね。

僕にとっては、実用文は仕事であり、きちんと伝えるための手段。詩は想像力を羽ばたかせ、自由に自分の思いを表現するもの、と考えています。

感性は努力して磨くもの

文道：比喩表現はセンスが問われますね。今日お話を聞いて、何かに対してどう感じるかは、その人の内面が出てくるし、それを伝えるものが詩だとすると、普段何をどう感じているかがすごく大事なのだと思いました。

詩は、実用的な文章よりも、その人の哲学や感受性、何に喜びを感じているのかがすごく出る。そして、感性が詩の完成度に影響しているんですね。感性は磨くのが難しそうです。

牧村：感性は努力して磨くものです。そして自分を知ることから始まります。

僕は詩の講座の受講生の皆さんに、「詩が書けなかったら、まず

何でもいいから書いてみなさい」と言っています。本当に何でもいい。「寂しい」と書いたとしたら、「あっ、自分は今寂しいんだな」と気付きます。

つい「このやろう」と書いたとしたら、「俺、なんか世の中に怒ってるのかな」と思う。自分を発見するために言葉を書くのは詩のいい訓練になります。

詩に内面が出てくるとすれば、自分が書いたひとつの言葉の中にもうすでに内面が出てしまっているということです。

自分が何をどう感じているのか、何を思っているのかがわかる。まずは何でもいいから言葉を書く。そこから出発するといいと伝えています。

文道：自由に書きなさいと言われたときに、「何を書いたらいいかわからない」と悩む人は多いです。そういうときはどうすればいいでしょうか。

牧村：「今日の出来事」というテーマで考えてみるといいですよ。「朝、パンを食べました」であれば、それについて自分がどう思ったかを書いていく。

出来事を事実として書いて、それについて自分が思った詳細を肉付けしていきます。

どんなパンを食べたのか、クロワッサンなのかトーストなのか。目玉焼きはあったか、サラダがあったとすれば、どんな野菜だったのか。具体化していくと自分が何にこだわっているかがわかってきます。そこをヒントに自分のことを知っていくわけです。

AI時代に生き残るには「人と違うもの」を書くこと

文道：AIの進化の勢いが止まりません。ライターの仕事がなくなるんじゃないかと心配する人もいます。牧村さんはどう考えていますか。

牧村：たしかにライターの仕事は減っていくとは思いますね。つまらない文章だったらなおさらです。

　誰でも書ける文章だったら、AIでも書けるわけですから。

　AIに「太宰治風の小説を書いてください」と指示したら、多分それ風のものは書けるでしょう。マネはできると思います。それはそれで遊びとして楽しめるかもしれないけど、そうすることがどれだけ意味があるかと疑問に感じます。

　一方で、常に新しいテーマを見出し、新たな表現を追求していく人の作品は残るでしょう。クリエイティブな精神で、きちんと人と違うものを書ける人は残っていく。

　そうなると、僕の詩も残るんじゃないでしょうか（笑）。

文道：「言葉が出てこない」「文章が書けない」という読者の方に、アドバイスがあればお願いします。

牧村：詩に関していえば、自分が「何を感じ」「何を伝えたいか」が一番大事です。だからとりあえず書いてみて、そこを発見する。自分が何を伝えたいか、自分が何を感じているかを知ることが始まりです。

文章修行したいのなら、自分の好きな作家の文章を写すと、語彙も表現の仕方も学べます。

　話し言葉で書いてみるのもいいと思います。LINEはみんな話し言葉だから書けますよね。「文章が書けない」と悩んでいるのなら、まず話し言葉で書いてみて、それを話し言葉じゃない言葉に直していくのもいいと思います。

　あとはたくさん本を読んだほうがいいです。最初のうちは知らず知らず本の影響を受けた表現になることもあるけれど、勉強になります。そのうちに、「この表現は、あの本に書いてあったから、違う表現にしよう」ということも考え始める。自分の新しい表現を打ち出すためにも、いっぱい読むことが大切です。

文道：文章や詩がうまくなるには、やはり量を読むことが大事なのですか？

牧村：量ですね。僕は詩だけにとどまらず、俳句や短歌、もちろん小説や歴史・民俗学の本も好きで読んでいます。いろんなジャンルの言葉から影響を受けています。

　花とか空とか海は、かつては名前がなくて、昔の人が名前を付けました。自分たちで言葉を見つけた。古代の人、昔の人の名付けや発語に思いを馳せて手垢のついたものではなく、新鮮な表現を見つけようとしたところに、思いを馳せてほしいと思います。そして自分の発する言葉にこだわること。

　具体的な作家の例を挙げれば、たとえば、谷崎潤一郎の表現などは、文章のテンポを自在に操り、リズムを生み出しながらそこに情感を盛り込んでいる。語彙も豊富ですので読むと勉強になり

ますよ。詩を書いてみるのもいい訓練になるでしょう。詩の講座の生徒さんは、「今、詩は大事ですね」と言います。今言葉を雑に扱う人が増えていますよね。でも、そうではなくて、言葉を選んで書くことが大切です。

　詩は言葉を選びますから、文章の訓練になります。

　生徒さんのひとりは、動画を作ったり、エッセイや小説を書いたりしている人ですが、「詩は短い表現で的確なことを伝える訓練になる」と言ってます。

　詩は今の時代の文章修行にもってこいです。

第3章

構成する

情報の取捨選択をする

　情報を集めたら、どの情報を残し、どの情報を捨てるかを考えます。インタビューで聞いたこと、集めた情報を全部盛り込むと情報が薄まります。

　前述したように、「100の情報を集めたら、それを10まで絞ってまとめる」のが情報整理の基本です。

　なぜ、情報を絞ったほうがいいのでしょうか。

詰め込むと言いたいことが伝わらない

　あれもこれも情報を詰め込んでしまうと、

「何が言いたいのか不明瞭になる（ぼやける）」

「印象に残らない」

「内容が薄くなる」

　からです。

　幕の内弁当は肉も魚も野菜も入っていて色とりどりで、食べているときは満足する。しかし、あとで振り返ってみると、食べたものが印象に残りづらいのも事実です。

　焼き肉弁当や焼き魚弁当であれば、「焼き肉」「焼き魚」とはっきり印象に残ります。

　文章は幕の内弁当よりも、一点豪華主義の焼き肉弁当や焼き魚弁当を目指すべきです。

だから、情報が100あったら、どんどん削って10にします。

そのためには、最初にたくさんの情報を集めておくことが大切です。

たとえば、インタビューだけで1000文字の原稿を書くとすれば、その何倍もの話を聞いたり、資料を集めたりしておく必要があります。まとめる段階になって、「素材が足りない」状態にならないようにします。

削るのは「内容の質を高めない」情報

100集めた情報から、何を引き、何を残すのか。

「引くべき情報」の候補は、おもに次の5つです。

【引くべき情報の5つの候補】

- 読者の役に立ちそうもない情報。
- 独自性がない情報。
- 意外性がない情報。
- 再現性がない情報。
- 信ぴょう性がない情報。

ここまで読んで、勘のいい読者は、「あれ、どこかで読んだな」と思うかもしれません。第1章の「内容の質を高める6つのポイント」に関連しています。

要するに、**「内容の質を高める」ことにつながらない情報は、積極的に削っていく**ということです。

まっさきに削ったほうがいい候補は、「信ぴょう性がない情報」です。「誰が言ったのかが不明瞭」「出典がはっきりしない」情報は、おもしろい情報であっても削ります。

仮タイトルにひもづく情報を優先的に残す

　逆に、優先的に残すべき情報はおもに次の2つです。

【残すべき情報の2つの候補】
- 「仮タイトル」や企画の企画内容にひもづく情報。
- 読者に「新しい気づき」を与える情報。

　本をつくったり、記事を書いたりする際には、企画内容を考え章立て（目次案）を作成する時点で「仮タイトル」をつくります。
　仮タイトルが目指すべき記事のゴールであり、軸となります。
　情報を精査する際には、仮タイトルにひもづいた（関係のある）内容かどうかを確認します。
　仮タイトルと関係のない内容であれば、「引く」候補です。

　取材をしていると、インタビュイーによっては、話がどんどん広がり、本題（仮タイトルの内容や企画内容）とは無関係の話題になることもあります。
　いい話であっても、無関係の話であれば、「引く」対象です。
　タイトルはあとで修正される可能性もありますので、最初は「仮」とします。仮に立てておくことで、目指すべきゴールが明らかになります。

情報が足りないときは
追加取材をする

　素材集めをして、構成を考え、文章にまとめ始めると、
「あれ、ここが聞けていない」
「素材が足りない」
「前のほうでまとめたことと矛盾が生じてきた」
「取材後、時間が経過してしまい、取材のときと状況や方針が変わっている可能性がある」
　といった場合があります。

　インタビューのあとに、

- 聞き漏らし
- 聞き忘れ
- 情報不足
- 時間の経過

　が判明したり、生じたりした場合は、迷わずに追加取材（再取材）をします。

疑問をそのままにすると内容があいまいになる

「追加取材を依頼するのは恥ずかしい」「断られたらいやだ」と思

う気持ちはわかります。

　だからといって、追加取材をしないままにしてよいのでしょうか。

　文章の書き手が疑問を解消しないまま記事にすれば、読者にも疑問が残ります。情報不足のまま記事にすれば、読者は物足りなさを感じます。情報は常に刷新されています。時間が経った情報は陳腐化している可能性があります。

　そのままにしていては、決していい文章にはなりません。

　筆者である文道の２人も20代の頃、インタビューでの聞き漏らしや情報不足がずいぶんありました。

　情報不足のまま仕上げた原稿を見せると、上司から「内容が薄いね」「ほかに聞けていることはないの？」「エピソードは聞いてこなかったの？」と尋ねられました。

「聞いていません」と正直に答えると、「だったら、もう一度聞いてきて。おもしろい記事として読めるくらいネタを集めてこないと、雑誌に載せられないから」と原稿を突き返されました。

　電話による追加取材を２度ならず、３度したこともあります。

より良い記事にするために追加取材をする

　今も書籍の原稿を書き上げたあとなど、情報が不足している場合は、追加取材をすることがあります。決してレアケースではありません。

　追加取材をするのは、「より良い原稿にしたい」「もっといい本にしたい」ことのあらわれでもあります。

　追加取材の申し込みは、恐れなくて大丈夫です。

次のように依頼してみましょう。

【追加取材（再取材）の依頼の仕方（一例）】

- 「まとめている段階で疑問点が出てきました。恐れ入りますが、追加でお聞きしてもよいでしょうか」
- 「ひとつ大事なことをお聞きしていませんでした。教えていただけますか」
- 「取材から時間が経っており、状況が変わっている可能性もあります。申しわけありませんが、あらためてお話を聞かせていただけませんか」

これまで取材をしてきた中で、追加取材（再取材）を断られたことはありません。相手の時間をあらためて取ってもらうことになるので、相手を気づかい、申しわけない気持ちを添えて、申し込みます。

追加取材を断られたら既存の記事で情報を補う

追加取材のやり方には次の方法があります。

時と場合によって使い分けます。

【追加取材の方法】

聞く内容が少ないとき、時間があまり取れないとき

- 電話で話を聞く。念のため録音をする。
- メールで質問をし、返信をもらう。

聞く内容が多いとき

- 原稿の確認をしてもらうときに、色のついたフォントで質問を入れておく。

【例】

「上司に間違いを指摘されたら、『ありがとうございます』とお礼を伝えましょう。（※質問です。指摘された「間違い」が、自分としては間違っていない場合も、お礼を伝えたほうがいいのでしょうか？）」

- オンラインや対面で再取材をする。

　もし、追加取材を断られた場合は、参考になりそうなこれまでのインタビュー記事や著作を教えてもらい、そこで情報を補うようにします。

録音データの文字起こしは
まずは自分でやってみる

取材した音声データは、文字に起こします（文字起こし。「テープ起こし」ともいう。かつてはカセットテープに録音していたため）。おもな文字起こしの方法は次の3つです。

【文字起こしのおもな方法】

- 自動音声文字起こしソフトで起こす。
- テープ起こし業者に依頼する。
- 自分で聞きながら起こす。

それぞれ、次のようなメリットやデメリットがあります。

「自動音声文字起こしソフトで起こす」メリット＆デメリット

- 翻訳や話者識別など、ソフトによって便利な機能がある。
- 自分の時間を取られず効率的。
- 有料ソフトの場合、費用がかかる。
- 精度に差があるため、自分で再度聞き直しの必要が生じる場合がある。

「テープ起こし業者に依頼する」メリットとデメリット

- 自分の時間を取られず効率的。
- 費用がかかる（「1分○○円」と設定している場合が多い）。

- 時間がかかる（１週間から10日前後で仕上がる場合が多い。追加料金を払うと特急で仕上げてくれる場合もある）。
- 仕上がりは起こす人によって差がある。
- 起こす種類は、「ケバ取り」（相づちなど余計な情報を取る）、「素起こし」（音声のまま文字に起こす）、「整文」（読みやすい文章に整える）などがあり、料金も変わってくる。インタビューを原稿にまとめる場合は「ケバ取り」がまとめやすい。
- 取材中に「オフレコ（公表しないこと）」と言われた部分は、テープ起こしの会社に渡す前にカットしておく配慮が必要。

「自分で聞きながら起こす」メリット＆デメリット

- 相手（インタビュイー）の声の抑揚で、大事なポイントがはっきりわかる。
- 取材で聞いた話を繰り返し聞くため、頭の中で取材が再現され、まとめやすくなる。
- テーマから逸れている会話がわかるので、無駄に文字起こしをせずに済む。
- 自分で一度取材をしているため、聞き間違いが少ない。
- 文字起こしに時間がかかる。
- 自分のインタビューの仕方を振り返ることができる。

　筆者の２人も駆けだしライターの頃は、自分で音声を聞いて文字起こしをしていました。メリットも多いので、最初は自分で起こしてみるのもいいでしょう。

どの情報をどの順番で
読ませるかを考える

　本を書くときは、まず、企画内容に沿って目次案（章立て）を考えます。仮の目次案を決めておくと、目次案がたたき台となり、編集者やライター、著者間で打ち合わせをする際に、内容を詰めていきやすくなります。

　目次案をつくる際は、最初にもっとも大きな括りである章を考えます。5章立てにするのであれば、5章分の仮の章タイトルを置いていきます。

　次に各章の中の大見出しを考えます。最後に各章に入る小見出しを考えていきます。

【目次案をつくるフロー】

• 章（大きな枠組み）

　　↓

• 大見出し（章に入る項目）

　　↓

• 小見出し（大見出しに入る項目）

第1章　章タイトル□□□□□□

大見出し（1）□□□□□□□□□□□

小見出し（1）□□□□□□□□□□□□□□
小見出し（2）□□□□□□□□□□□□□□
小見出し（3）□□□□□□□□□□□□□□

大見出し（2）□□□□□□□□□□□

小見出し（1）□□□□□□□□□□□□□□
小見出し（2）□□□□□□□□□□□□□□
小見出し（3）□□□□□□□□□□□□□□

本書の目次構成案（一部）は次のようになっています。

章タイトル

第1章　企画する

大見出し

◉「どう書くか」より「何を書くか」

小見出し

・本を読むのは「知りたいことがある」から

・100点の文章＝「内容70点：書き方15点：見せ方15点」

大見出し

◉【内容の質を高めるポイント①】

「読者の役に立つ内容」を書く

小見出し

・読者のメリットを優先する

・「自分の感想」と「役に立つ情報」をセットにする

4つの順番を意識する

　企画内容に沿って構成を考えるとき、悩むのはどの順番で読ませるか、です。

　ロングセラーになっている思考術の本『考える技術・書く技術—問題解決力を伸ばすピラミッド原則』(バーバラ・ミント著、山崎康司訳／ダイヤモンド社) では、論理的な並べ方は次の4つの方法しかないとしています。

①演繹の順序(大前提、小前提、結論)
②時間の順序(1番目、2番目、3番目)
③構造の順序(北から南、東から西、等)
④比較の順序(1番重要なもの、2番目に重要なもの、等々)

　この4つの順序は、書籍や記事の構成を考えるとき、ヒントになります。4つの順序それぞれの特徴と、筆者が4つの順序に向いていると考える書籍のジャンルは次のとおりです。

①演繹の順序

・「演繹」とは、一般に認められた法則や原理から、論理に従って、できごとの結論を導く(推測する)こと。
　【例】
　(一般に認められた法則) 物の値段が上がると企業の業績が上がる
　➡ (できごと) インフレで物の値段が上がっている。

➡（結論）企業の業績が上がり株価が上がるだろう。

・最後に結論を導く論文などに有効。

【向いている書籍のジャンルの例】

学術書、研究書など。

②時間の順序

・時間の流れ、行う順番（ステップ）でまとめる。

【例】

・「第1章－初級編」「第2章－中級編」「第3章－上級編」

・「第1章－過去」「第2章－現在」「第3章－未来」

・「第1章－誕生」「第2章－成長」「第3章－成熟」

など。

・本書も「文章を書く」という企画の骨子のもと、「第1章　企画する」➡「第2章（情報を）集める」➡「第3章　構成する」のように文章を書く際の実行の流れに沿っている。

【向いている書籍のジャンルの例】

スキルを身につける実用書・ビジネス書、自伝、歴史書など。

③構造の順序

・方位や地域、体の部位など、全体を部分で分ける。

【例】

・「第1章－北海道編」「第2章－東北編」「第3章－中部編」……。

・「第1章－頭」「第2章－体」「第3章－腕」……。

・「第1章－仕入れ」「第2章－製造」「第3章－販売」……。

【向いている書籍のジャンルの例】

ガイドブック、健康系書籍など。

④比較の順序

- 項目を比較し、重要度の高いものから順番に並べる。

  【例】
  - 「第1章−1位〜7位」「第2章−8位〜20位」「第3章−21位〜40位」
  - 拙著『「文章術のベストセラー100冊」のポイントを1冊にまとめてみた。』をはじめとする「ベストセラー100冊」シリーズは、重要度の高いものから順に並べている。

【向いている書籍のジャンルの例】

あらゆるビジネス書、自己啓発書など。

構成に悩んだときは、4つの順番を意識して章構成を考えてみましょう。

第4章

書く

文章を短くする

　文意（文章の内容）を正確に伝えるには、言葉のムダを省いて、「文（文章）を短くする」ことが大切です。

　文章が長くなるとそれだけ情報量が多くなるため、

- 誰が、何をしたのか（しているのか）
- 何が、どういう状態なのか
- 結論は何なのか
- 結論に至るまでの根拠はどうなっているのか

といった事実関係が伝わりにくくなります。

　文章の基本は、「短い文」を積み重ねることです。

> ●文……句点「。」（マル）で区切られたもの。
> ●文章……文が集まったもの。

　文章とは、「文」が2つ以上連なったものです。「あいまいさのない短い文」「余計な言葉を削ぎ落とした文」を正しい順番でつなげることで、「誰が読んでも誤読しない文章」が完成します。

　文章を短くしたほうがいい理由は、次の6つです。

【文章を短くしたほうがいい６つの理由】

- 主語（誰が）と述語（どうした）が近づくので、事実関係がはっきりする。
- 短く伝える意識が高まると、言葉を厳密に選ぶようになる（もっともふさわしい言葉を選ぶため、端的に表現できる）。
- 短い文が続くことで、小気味の良いリズムが生まれる。
- 文章全体の流れが良くなる。
- 論理破綻がしにくい。
- 一読で内容を理解できる。

【例文１】……１文が長い

　ビジネススキルには、汎用性の高いスキルと、汎用性の低いスキルがあり、汎用性が高いほど、幅広く能力を発揮できると言われていて、汎用性の高いスキルにはポータブルスキル、汎用性の低いスキルにはテクニカルスキル、別名、企業特殊スキルがあるが、ビジネスの土台・基礎となるのは企業特殊スキルではなく、特定の業種・職種にとらわれずどこへ行っても通用する、という理由からポータブルスキルだと考えられている。

【例文２】……内容ごとに文を分ける

　ビジネススキルには、２つのスキルがあります。
　汎用性の高いスキルと、低いスキルです。
　汎用性の高いスキルにはポータブルスキル、低いスキルにはテクニカルスキル（別名：企業特殊スキル）があります。汎用性が高くなるほど、能力を幅広く発揮できます。

「ポータブルスキル」は、特定の業種・職種にとらわれず、どの職場にいても必要となるスキルです。

能力を発揮できる仕事に制限がないため、ビジネスの土台・基礎となるスキルといっていいでしょう。

例文1は、1文の中に多くの情報が盛り込まれているため、一読しただけでは、書き手の主張を汲み取ることができません。

【例文1に盛り込まれている情報】

- スキルには汎用性の高いスキルと、低いスキルがある。
- 汎用性の高いスキルほど能力を発揮しやすい。
- ポータブルスキルは汎用性が高く、テクニカルスキルは汎用性が低い。
- ポータブルスキルは業種、職種を問わないため、どんな職場でも活用できる。
- ポータブルスキルはビジネスの基本である。

例文2は、情報ごとに文を切り分けているため、書き手の主張（ポータブルスキルの大切さ）がわかりやすく整理されています。さらに、改行が設けてあるため、例文1よりも可読性（読みやすさの度合い）が高くなっています。

文章を短くするためポイントは、次の4つです。

【文章を短くする4つのポイント】

①なくても意味が通じる言葉を削る。

②1文を60文字以内にする。

③ワンセンテンス・ワンメッセージにする。

④情報量が多い場合は、箇条書きでまとめる。

①なくても意味が通じる言葉を削る

　1文を短くするには、「余計な言葉」「なくても文意が変わらない言葉」を削ります。

【削りやすい言葉の候補】

• 接続詞……「そして」「それゆえ」「したがって」「だから」など。
　接続詞には、「順接」の接続詞と、「逆接」の接続詞があります。

> ◉順接……前に述べたことが、あとに述べることの原因・理由となること。
>
> ◉逆接……前に述べたことを後ろに続く文が否定すること。

　順接の接続詞は、なくても意味が通じる場合があります。

「彼は作家でもあり、そして、音楽家でもある」

➡「彼は作家であり、音楽家でもある」

「引越しをします。したがって、来月から電話番号が変わります」

➡「引越しをします。来月から電話番号が変わります」

- **主語**……「私は」「彼が」など。

「同じ主語が続くとき」と「人々や世間が主語のとき」は、主語を省くことができます。

「私は、私の仕事が休みの日に、私の家の片付けをした」

➡「休日に片付けをした」

「マイナンバーカードを持っている人は、マイナンバーカードを保険証として使うことができます」

➡「マイナンバーカードを保険証として使うことができます」

　この場合は、マイナンバーカードを保険証として使える人が「マイナンバーカードを持っている人」であることが明らかなので、主語を省くことができます。

- **指示語**……「その」「それ」「これ」など。

「新しい車を購入した。その車のデザインが気に入っている」

➡「新しい車を購入した。デザインが気に入っている」

- **形容詞**……「高い」「美しい」「楽しい」「嬉しい」など。

「黄色いひまわりが咲いていた」

➡「ひまわりが咲いていた」

「ひまわり＝黄色」とイメージする人が多いため、色を強調する意図がなければ、「黄色い」を削除しても文意は通じます。

• 副詞……「とても」「非常に」「すごく」「かなり」など。

「彼の仕事は非常に丁寧だ」

➡「彼の仕事は丁寧だ」

• 二重言葉（重複表現）

「まず最初」➡「最初に」

「連日暑い日が続く」➡「暑い日が続く」

「いまだに未解決」➡「未解決」

「受注を受ける」➡「受注する」

「あとになって後悔する」➡「後悔する」

「はっきりと断言する」➡「断言する」など

　話し言葉では、「二重言葉を使っても構わない」とする意見もあります。ですが、文章（書き言葉）では「1文を短くする」のが基本なので、重複部分を削るか、ほかの言葉に書き換えます。

• 同じ言葉の繰り返し

「1文の中に、同じ言葉（単語）が2回以上登場する」「段落の中に、同じ言葉が何度も出てくる」と稚拙な印象を与えます。

　数を減らすか、別の言葉に置き換えます。

「マンションを購入する際に確認しておきたいのは、マンションの物件価格、マンションの間取り、マンションの立地、マンションの管理体制、マンションの災害時の安全性です」

➡「マンションを購入する際に確認しておきたいのは、物件価格、間取り、立地、管理体制、災害時の安全性です」

- という

「文章というものは」 ➡ 「文章は」

「彼は早退ということです」 ➡ 「彼は早退です」

- 〜なこと

「大切なことです」 ➡ 「大切です」

「それはありえないことです」 ➡ 「それはありえません」

- することができる

「紹介することができる」 ➡ 「紹介できる」

②1文を60文字以内にする

　文章のプロの多くが、「1文を短く書く」ことを意識しています。「短く」とは具体的に何文字を示しているのかというと、「60文字以内」です。

　拙著『「文章術のベストセラー100冊」のポイントを1冊にまとめてみた。』の執筆にあたって、文章術の名著100冊を読んだ結果、文章のプロの多くが、

「40〜60文字以内にする」

「80文字では長すぎる」

　と考えていることがわかりました。

　書き慣れていない人は、40文字以内にまとめるのは難易度が高いため、本書ではプロの意見の平均値を取って、

「60文字以内」

　を1文の目安としました。

「絶対に60文字以内にしなければいけない」わけではありません。文を頭から読み進めたとき、「一読で文意が理解できる」のであれば、長さにこだわる必要はないと思います。

　ですが、長い文は総じてわかりにくくなりやすいので、書き慣れていない人は、1文を短くすることからスタートするのが得策です。

③ワンセンテンス・ワンメッセージにする

　センテンスとは「文」のことです。

　ワンセンテンス・ワンメッセージとは、

「1文の中に入れる内容をひとつに絞る」

　ことです。ワンセンテンス・ワンメッセージを心がければ、1文は自然と短くなります。

　ひとつの文に複数の内容を盛り込むと、主語と述語の関係が複雑になるため、読み手の理解度が下がります。

【例文3】……1文に複数の情報が盛り込まれている

　昨日、映画『トップガンマーヴェリック』を観るつもりで新宿のTOHOシネマズに行ったのだが、上映開始時間に遅れてしまい入場できなかったため、代わりに『スラムダンク』を観たところ、予想以上におもしろかったので満足はしているものの、『トップガンマーヴェリック』は絶対に観たいので、来週にもう一度、映画館に足を運ぼうと思っている。

　この例文3をこれまで述べてきた、

①なくても意味が通じる言葉を削る

②１文60文字以内

③ワンセンテンス・ワンメッセージ

の３つを意識して書き換えたのが、以下の例文４です。

【例文４】……１文を短く整理

昨日、映画『トップガンマーヴェリック』を観ようと、新宿のTOHOシネマズに行った。

しかし、上映開始時間に遅れ、入場できなかった。

代わりに、『スラムダンク』を観た。

予想以上におもしろい作品だった。

『トップガンマーヴェリック』は、来週あらためて観に行くつもりだ。

④情報量が多い場合は、箇条書きでまとめる

要点を箇条書きにすると、文章全体が短くなります。箇条書きとは、「要点をいくつかの項目に分けて書き並べること」です。

【箇条書きのメリット】

• 簡潔に要点が整理されるので、読者の記憶に残りやすい。

• 不要な情報がそぎ落とされるため、誤読がなくなる。

• 接続詞で文をつながずに済むので、１文が長くならない。

• 情報が絞り込まれるため、理解までの時間が短くなる。

【例文5】……説明部分が長い

　マンションを購入する際に確認しておきたいのは、マンションの物件価格、マンションの間取り、マンションの立地、マンションの管理体制、マンションの防災対策です。

【例文6】……箇条書きでポイントを整理

　マンション購入前に確認すべきポイントは、5つあります。

①物件価格

②間取り

③立地

④管理体制

⑤防災対策

「型」に当てはめて書く

「型」とは、「文章の流れを示すパターン」のことです。

スタイル、フレームワーク、フォーマット、テンプレート、雛形とも呼ばれています。

型を使うと、

「文章の構成要素」（結論、説明、主張、理由、具体例など）

「文章を書く順番」（構成要素の並び順）

が決まるため、論理的な文章になります。

論理的とは、「メッセージやストーリーの筋道が通っていて、矛盾のないこと」です。

「A」の次は「B」

「B」の次は「C」

「C」の次は「D」

と、決まった順番で書き進めると、前後の文（段落）の関係が明確になるため、筋道が通りやすくなります。

【論理的な文章の特徴】

• 内容にヌケ、モレがない。

• 内容の重複がない。

• 結論が明確である。

• 結論に至った根拠が示されている。

- 前後の文章がつながっている。
- 論旨<ruby>論旨<rt>ろんし</rt></ruby>が一貫している。

「最初にこれを書き、次にこれを書き、その次にこれを書き、最後にこれを書く」という順番が決まっていれば、内容の過不足や論理の飛躍、矛盾を防ぐことができます。

型に当てはめるメリットは、次の通りです。

【型に当てはめるメリット】
- どの内容を、どの順番で書けばいいのか迷わないので、書くスピードが速くなる。
- 情報の過不足がなくなる。
- 情報を積み上げていくため、論理展開が破綻しにくい。
- 結論と根拠がはっきりする。
- 構成要素が決まるため、端的に情報を伝えられる。
- 頭に浮かんだ順番で書くより、相手に伝わりやすい。

すぐに使える6つの型

本書では、さまざまな文章に応用できる6つの型を紹介します。

【論理的な文章を書くための6つの型】
①逆三角形型
②箇条書き型
③PREP法
④論文型

⑤ブログ型

⑥レビュー型

①逆三角形型（新聞記事、ビジネス文書、メール、実用文向き）

◉結論➡説明

　ビジネス文書や実用文の役割は、情報や主張を的確に伝えることです。結論を先に書くと、「この文章は、何がいいたいのか」「書き手は、何を主張したいのか」が明らかになります。

【結論を先に書いたほうがいい6つの理由】

• 主題（もっとも伝えたいこと）がすぐに、的確に伝わる。

• 内容の重要度、優先順位がわかる。

• 結論がすぐにわかるので、読者の時間を取らない。

• 文章をあとから短くする場合は、結論のあとに続く「説明部分」を削ればいい。

• 結論から書き始めればいいため、書き出しに悩まない。

• 重要な情報を最初に提供すると、読者の関心が高くなるため、最後まで読んでもらえる。

　逆三角形型は、

「結論➡説明」

　の順番で書く型です。最初に結論（一番伝えたいこと／読者がもっとも知りたいこと）を書き、次に結論に至った経緯、理由を補足します。書き進めるほど情報の重要度が低くなるため、「逆三角形」と呼ばれています。

【例文1】……逆三角形型

• 結論

　老後資金の準備におすすめなのが、「iDeCo」です。

　iDeCoとは、国の年金とは別に、自分で老後資金をつくる
ための私的年金制度です。

• 説明（iDeCoをおすすめする理由）

　iDeCoなら、定期預金や保険商品、投資信託などを利用し
て、老後のための私的年金を積み立てることができます。
「掛金を積み立てたとき」「積み立てたお金が増えたとき」
「お金を受け取るとき」に、節税効果のメリットがあります。

「結論→説明」の順番で書く

結論

老後資金の準備をするなら
「iDeCo」をはじめるといい。

説明

定期預金や投資信託などを
利用して私的年金を
積み立てられる。

節税効果が
期待できる。

②箇条書き型（ビジネス文書、実用文向き）

◉結論➡ポイント

　この型は、前述した①逆三角形型の説明部分を「箇条書き」で表記します。

　結論に続く情報（説明部分）が「３つ以上」あるときは、箇条書き型にすると要点がより整理されます。

• 結論
「Aは、Bです」

• 箇条書き
「Bである理由は（Bであるポイントは）、次の３つです」
• ○○○○○○○（１番目の理由は、これこれ、こうです）
• ○○○○○○○（２番目の理由は、これこれ、こうです）
• ○○○○○○○（３番目の理由は、これこれ、こうです）

【例文２】……箇条書きで要点を説明

• 結論
　老後資金の準備におすすめなのが、「iDeCo」です。
　iDeCoとは、国の年金とは別に、自分で老後資金をつくるための私的年金制度です。

• 箇条書き
　iDeCoをおすすめる理由は、次の８つです。

１. 積み立てる期間中の税金が安くなる。

2．運用益に税金がかからない。

3．お金を受け取るときには、大きな控除枠を使える。

4．運用が好調であれば、受け取るお金が増える。

5．月々5000円から始められる。

6．自分で掛金額と運用する金融商品を決めることができる。

7．受け取り方法が選べる。

8．窓口に行かなくても簡単に始められる。

③PREP法（ビジネス文書、実用文、ブログ向き）

◉結論➡理由➡具体例➡結論

　PREPは、「Point・Reason・Example・Point」の略です。

・P …Point（ポイント、結論、主張）

　○○○○の結論は、○○○○です。

・R …Reason（結論に至った理由・そう主張する理由）

　なぜなら、○○○○だからです。

・E …Example（理由に説得力を持たせるための事例、状況）

　実際に、○○○○といった事例がありました。

・P …Point（ポイント、結論、主張）

　したがって、○○○○の結論は○○○○になります。

　逆三角形の「説明」の部分に、「理由」と「具体例」を入れ、最
後にもう一度「結論」で締めくくります。

「結論からはじまり、結論で終わる」

「説明部分に、結論の裏付けとして、理由と具体例を書く」

　ため、読者の理解、納得、共感を強くうながします。

【例文3】……PREP法

• 結論

　老後資金の準備におすすめなのが、「iDeCo」です。

　iDeCoとは、国の年金とは別に、自分で老後資金をつくるための私的年金制度です。

• 理由

　iDeCoをすすめる理由は、「手厚い税制優遇がある」「運用次第で受け取るお金が増える」「月々5000円から掛金を設定できる」といったメリットがあるからです。

• 具体例

　iDeCoは、自分で掛金額と運用する金融商品を決めることができます。運用が好調であれば、資産を増やすことが可能です。

　実際に、iDeCoで資産を増やしている方を2人紹介します。Aさんは、国内株、海外株、国内債券、海外債券を組み合わせた「バランス型のインデックス投資信託」で運用。1年間で資産が5％増えています。

　Bさんは、「海外株式型投資信託」で運用し、5年間で資産が30％増えています。

・**結論**

iDeCoは、老後資金づくりの心強い味方です。

ゆとりあるセカンドライフを送るためにも、iDeCoの加入を検討してみましょう。

④**論文型**

◉**序論（問題提起）➡本論（現状分析）➡結論（解決策）**

この型は、大学入試や就職試験の論文（小論文）や各種レポートに適した型です。

論文は、ビジネス文書や実用文と違って、

「説明が先、結論があと」

が基本です。

論文では、「結論の正しさ」よりも「論証の正しさ」が問われています。論証とは、「証拠を挙げて、結論に至る道筋を説明すること」です。

論文の基本構成は、「序論➡本論➡結論」の3段型です。

・序論＝問題提起（この論文で何を問題にしているのかを述べる）
・本論＝現状分析（提起された問題に対する分析、検証を行う）
・結論＝解決策（本論を受けて、問題の解決策を提言する）

【例文4】……論文型

・**問題提起**

2022年は多くの電気自動車（EV）が登場し、「EV元年」と呼ばれた。脱炭素の流れで、自動車メーカーはEVの市場投入を急いでいる。

しかし、普及が進むにつれ、課題にも目が向けられるようになった。課題のひとつは、ガソリン車よりも車両価格が高い点にある。

どうすれば、車両価格を安くできるのか。

• 現状分析

EVの車両価格を上げている最大の要因は、リチウムイオン電池（バッテリー）である。

「リチウムの埋蔵地が一部の地域に偏っている」「製造に必要なコバルトの増産が難しい」などの理由から、EVの生産コストが高くなっている。

バッテリー容量が大きくなるほど、生産コストも大きく跳ね上がっているのが現状である。

「バッテリーの製造コストは、10年前より下がっている」といわれてはいるが、資源価格が高騰するなど、先行きは不透明だ。

• 解決策

バッテリーの製造コストを下げるには、以下の4つの方法が考えられる。

1.「生産技術を向上させ、量産を可能にする」
2.「同じ仕様の電池を多くの用途に転用できるようにして、量産効果を図る」
3.「搭載するバッテリーを小さくする」
4.「安価な材料を使う技術を確立する」

実際に、日産自動車の軽EV「サクラ」とその兄弟車である三菱自動車の「eKクロスEV」は、電池容量を20kWhに抑えることで低価格を実現した。

　電気自動車は、消費者にとって手が届きにくい高価格帯であるため、普及するためには低価格化が不可欠である。

　そのためにも、バッテリー技術の進歩によるコストダウンが急がれる。

　論文で大切なのは、「序論では、論点をひとつに絞る」ことです。論点がひとつであれば、結論もひとつになります。

　例文4の論点（序論）は、「電気自動車の価格を下げるにはどうしたらいいか」、結論は、「バッテリーの生産コストを下げる」です。

⑤ブログ型

◉特徴➡きっかけ➡理由➡アドバイス

　筆者が講師を務めるライティング講座では、以下の「型」を使って、受講者にブログ記事を書いてもらうことがあります。「何を、どの順番で書けばいいか」がはっきりしているので、初心者でも「1時間」で、ブログ記事を作成できます（前述したPREP法も、ブログの型として利用できます）。

【1時間で書けるブログの型】

• 好きなもの（紹介するもの）の「特徴」

• 好きになった（それを始めた）「きっかけ」

• それを人におすすめする「理由」（メリットなど）

• 始めてみたいと思っている人への「アドバイス」

【例文5】……ブログ型

・タイトル

　ジャーマンカモミールティーは、喉のお守りに最適

・特徴

　万能ハーブといわれるジャーマンカモミールのお茶は、喉のケアに最適です。

・きっかけ

　喉の痛みを抱えてフランスを旅したときに、パリで暮らす友人から、

「フランスの人は喉のトラブルを抱えたときにジャーマンカモミールティーを飲む」

　と聞かされました。

　実際に飲んでみると、みるみる喉の痛みが引いていきました。

・メリット

　1．どこでもすぐに手に入ります。

　2．「皮膚や粘膜を健康に保つ」といわれます。

　3．りんごの香りに似て飲みやすいです。

・アドバイス

　ハーブティーを飲み慣れていない場合、ハチミツを入れる

と、甘くなって飲みやすくなります。

　夜眠る前に飲むと、リラックス効果も期待できます。

⑥レビュー型

◎概要説明➡印象（引用）➡コメント

　レビューとは、「評論」「感想」のことです。この型は、本、映画、商品、飲食店など、対象への自分の評価、感想を述べるときに使いやすい型です。

- 概要説明……何を評価したのか、評価対象の特徴、概要を説明する。
- 印象（引用）……もっとも印象に残ったことを書く。

　　　　　　　　　　本／もっとも印象に残ったフレーズを引用

　　　　　　　　　　映画／もっとも印象に残った場面を説明

　　　　　　　　　　商品／もっとも役に立った特徴を説明
- コメント……なぜ、印象に残ったのか、その理由を書く。

　【例文6】……レビュー型

- 概要説明

　今回、私が紹介する本は、『苦しみの手放し方』（ダイヤモンド社）です。

　著者は、540年続く名刹、大叢山・福厳寺の大愚元勝住職です。

　海外放浪、起業など紆余曲折の人生を経て寺へ戻った僧侶が説く、「強かに生きる56の知恵」が綴られています。

- 印象（引用）

　本書で紹介されている『一夜賢者の偈』という詩が印象に残っています。

　一夜とは、「1日」のこと。「賢者」とは、「今日1日、怠ることなく励む人、今日すべきことを熱心にする人」のことです。

『一夜賢者の偈』
　過去は追うな。
　未来を願うな。
　過去はすでに捨てられ、未来はまだ来ない。
　だから、ただ現在のことをありのままに観察し、
　動揺することなく、よく理解して、実践せよ。

- コメント

『一夜賢者の偈』は、「今を生きる」ことの大切さを教えてくれます。

　私が後悔しがちなのは、過去にとらわれているから。私が取り越し苦労をするのは、「きっとうまくいかない」と、勝手な憶測に縛られているからです。

　この詩を読んだことで、「この瞬間の自分」は、「過去の自分」でも「未来の自分」でもないことが自覚できました。

　終わったことにクヨクヨせず、勝手な憶測に振り回されず、今日すべきことに全力で向き合い、毎日をムダなく生きていこうと思います。

　自分の行動に後悔しやすい人や、失敗を引きずりやすい人

におすすめです。心を軽くするヒントが得られると思います。

「コメント」のあとに、「どんな人におすすめか」を補足すると
（＿＿＿＿の部分）、読み手の満足度が上がります。

わかりやすい言葉を使う

　文は、単語と単語の組み合わせです。文の中に「意味のわからない単語」「読めない漢字」「難解な言い回し」があると、スラスラ読めないことがあります。

　伝わる文章を書くには、読者が理解できるように、

「わかりやすい言葉で書く」

　のが基本です。

「わかりやすい言葉」とは、

「日常的に使われている言葉」

「耳慣れた言葉」

「中学生でもわかる言葉」

　のことです。一般の人に向けてわかりやすく書くには、難しい言葉や専門用語を使わないのが基本です。

【わかりやすく書く５つのポイント】

①難解な言葉は、日常的な言葉に書き換える。

②漢字を少なくする（ひらがなを多くする）。

③カタカナ語は、日本語に書き換える。

④専門用語、業界用語、身内用語は使わない（使うときは解説を補足する）。

⑤アルファベット略語には説明を加える。

①難解な言葉は、日常的な言葉に書き換える

> 【例文1】……難解な言葉で表現
>
> 　○○○○○については、十分に勘案した上で、所要の措置を講ずるものとする。
>
> ------
>
> 【例文2】……わかりやすい言葉に書き換え
>
> 　○○○○○については、十分に考えた上で、必要だと思われる対策を行うようにする。

　例文2は、例文1に含まれる「勘案」「所要」「措置」「講ずる」を書き換えたことで、わかりやすくなりました。

- 勘案／いろいろと考え合わせること。考慮すること
- 所要／必要とすること
- 措置／必要な手続きを取ること。取り計らうこと
- 講ずる／適切な方法を取ること。行うこと

　簡単な言葉に書き換えるときに役に立つのが、

『類語辞典』

「常用漢字表」（文化庁のホームページに記載）

『記者ハンドブック（新聞用字用語集)』（共同通信社）

です。

　常用漢字とは、「一般の社会生活において漢字を使うときの目安」です。

　常用漢字一覧には、2136字の漢字が掲載されています。

『記者ハンドブック』には、「漢字と平仮名の使い分け」「送り仮名の付け方」「同音異義語の使い分け」「誤りやすい用字用語」などが掲載されています。

難しい言葉の候補と書き換え例

難しい言葉	書き換え例
遺憾である	残念である、申し訳がない
いかんを問わず	どのような〜でも
一括して	まとめて
鋭意	精一杯
可及的速やかに	できるだけ早く
勘案して	考慮して
喫緊の	差し迫って重要な
〜に鑑みて	〜に照らし合わせて
疑義	疑問、問題
危惧	心配、不安
寄与する	役立つ
忌憚のない	率直な
顕著に	著しく
暫時	しばらくの間
資する	役立てる、助けとする
諸般	さまざまな
従前の	これまでの
遵守する	守る
〜すべく	〜するように
整合性を図る	矛盾がないようにする
逐次	順次
抵触する	触れる
踏襲する	そのまま受け継ぐ
特段の	特別の
甚だ	非常に、大変
払拭する	取り除く
補填する	補う
履行する	実施する

②漢字を少なくする（ひらがなを多くする）

　漢字を少なくすると、読みやすくなります。

◎漢字が多め（ひらがなが少なめ）

• 硬い印象を与える。

• 画数が多いため、多用すると文字が詰まって見えやすい。

• 内容が頭に入りにくい。

◎ひらがなが多め（漢字が少なめ）

• やわらかい印象を与える。

• 漢字よりも余白がつくりやすい。

• 多用すると、幼稚な印象を与える。

• 内容が頭に入りやすい。

【例文1】……漢字多め／漢字使用率：44.12％

　漢字が多過ぎると、取っ付き難い印象になる為、平仮名を多目にします。

【例文2】……ひらがなだけ

　かんじがおおすぎると、とっつきにくいいんしょうになるため、ひらがなをおおめにします。

【例文3】

……漢字少なめ（ひらがな多め）／漢字使用率：17.5％

　漢字が多すぎると、とっつきにくい印象になるため、ひらがなを多めにします。

漢字とひらがなのバランスがいいのは、例文3です。

漢字とひらがなの割合に正解はありませんが、

「漢字2、3割」

「ひらがな7、8割」

がひとつの目安です。

【ひらがなを多くする工夫】

・漢字かひらがなで迷ったときは、ひらがなにする。

・接続詞はひらがなにする。

（何故なら➡なぜなら、故に➡ゆえに、更に➡さらに　など）

・指示語はひらがなにする。

（其れ➡それ、此処➡ここ　など）

・難しい言葉をやさしい言葉に置き換える。

（可及的➡できるだけ、切迫する➡間近にきている　など）

・熟語を減らす。

（最重要課題➡「もっとも重要な課題」に書き換える　など）

・「読めるけれど書くのが難しい漢字」はひらがなを優先する。

・熟語以外で、漢字が2語以上続くときは、「どちらかをひらがな
　にする」か、「読点（、）を打つ」ようにする。

【例】

「拝見致します」➡「拝見いたします」

「現在進めている所です」➡「現在、進めているところです」

「一言挨拶をする」➡「ひとこと、あいさつをする」

ひらがなにしたほうがいい言葉の候補

元の語句の意味が薄れた言葉 （形式名詞や接尾語、あいさつ）	用例
有難う ➡ ありがとう	ありがとうございます
頂く ➡ いただく	お読みいただく資料です
お早う ➡ おはよう	おはようございます
下さい ➡ ください	ご容赦ください
位 ➡ くらい	どのくらいの大きさですか
事 ➡ こと	聞きたいことがあります
沢山 ➡ たくさん	たくさんありました
為 ➡ ため	念のため、確認をお願いします
詰まらない ➡ つまらない	つまらないものですが
時 ➡ とき	遅れるときは連絡します
所 ➡ ところ	非の打ちどころがない
物 ➡ もの	比べものにならない
易い ➡ やすい	親しみやすい人柄
宜しく ➡ よろしく	よろしくお願いいたします

言葉や文をつなぐ言葉 （接続詞や副詞）
後で ➡ あとで
予め ➡ あらかじめ
及び ➡ および
却って ➡ かえって
更に ➡ さらに
然し ➡ しかし
即ち ➡ すなわち
並びに ➡ ならびに
故に ➡ ゆえに

指示語や人称名詞
貴方 ➡ あなた
或る ➡ ある
何時 ➡ いつ
此処 ➡ ここ
此の ➡ この
此れ ➡ これ
其れ ➡ それ

別の言葉の 前や後ろにつく言葉
但し ➡ ただし
丁度 ➡ ちょうど
一寸 ➡ ちょっと
等 ➡ など
達 ➡ たち
程 ➡ ほど
殆ど ➡ ほとんど
迄 ➡ まで

そのほか
出来る ➡ できる
可笑しい ➡ おかしい
有る ➡ ある
無い ➡ ない

③カタカナ語は、日本語に書き換える

カタカナ語とは、カタカナで表記される言葉のことです。

カタカナ語は、日本語に置き換えたほうがわかりやすい文章に

なります。カタカナ語を嫌う人もいるので、多用は避けるようにします。

【カタカナ語を使うときのポイント】

- 日常的に使われている外来語（テレビ、ラジオ、パソコン、スマホなど）以外は、できるかぎり日本語に書き換える。
- 社内メール、社内文書などは、社内のルールにしたがう（社外に向けたビジネス文書の場合は、日本語のほうがわかりやすい）。
- 経済用語、ビジネス用語、IT用語でカタカナ表記を使う場合は、説明を加える。

【例文3】……カタカナ語を多用

　プロジェクトのマネジャーにはＡさんをアサインすることに決定した。クライアントに対するインサイト営業をアクティブに行い、ソリューションを提案した彼のパフォーマンスを評価した。

【例文4】……カタカナ語を日本語に書き換え

　Ａさんを、今回の企画の責任者にした。取引先の隠れた課題を積極的に見つけ、解決策を提案した彼の実績を評価した。

- プロジェクト／企画
- マネジャー／責任者
- アサイン／任命する
- クライアント／取引先
- インサイト営業／顧客自身が気づいていない課題を見つけ、解

決策を提示する営業

- アクティブ／積極的
- ソリューション／解決策
- パフォーマンス／実績

　例文3のカタカナ語を日本語に書き換えたのが、例文4です。

　カタカナ語を日本語に書き換えたほうが、文意が正確に伝わります。例文3と例文4を比べたとき、「理解できる人が多い」のは、例文4です。

　言葉は、書き手と読者がお互いに理解できてはじめて意味をなすものです。相手に合わせて言葉を変えたり、カタカナ語の頻度を減らしたりする工夫が必要です。

ビジネスで使われるカタカナ語の例

カタカナ語	日本語	カタカナ語	日本語
アカウンタビリティー	説明の義務、責任	ニッチ	市場のすき間
アサイン	割り当てる、任命する	バイアス	偏見、先入観
ギミック	工夫、仕掛け	バジェット	予算、経費
コミットメント	関与、確約、誓約	バッファ	余裕、緩衝
コンプライアンス	法令遵守	パラダイム	枠組み
サマリー	要約	フィックス	最終決定
シナジー	相乗効果	プライオリティー	優先順位
ジョイン	会社やチームなどに参加すること	プロパー	正式な、生え抜きの社員、正社員
スクリーニング	審査、ふるい分け	モラルハザード	倫理の欠如
デフォルメ	誇張、対象を変形して表現すること	レギュレーション	規則、規定
ナレッジ	知識、情報	ローンチ	立ち上げること

④専門用語、業界用語、身内用語は使わない（使うときは解説を
補足する）

文章を書くときは、

「自分が言葉の意味を知っているからといって、読者も知っているとは限らない」

ことを忘れないようにします。

書き手と読者が「同じ業界にいる」「同じ職種である」「同じ会社に勤めている」など、共通の言語でやりとりできる関係であれば、説明を加えたり、やさしい言葉に書き換えたりする必要はありません。

ですが、不特定多数の読者に向けて発信する場合は、

「専門的な知識を持たない人」

「書き手と同じ業界にいない人」

「書き手と同じ会社にいない人」

にも伝わる文章を心がけます。

【例文５】……専門用語を使用

制作に入る前にラフ案をお見せし、ご確認をいただいたのち、カンプを提出します。

【例文６】……わかりやすく書き換え

制作に入る前に下書きをお見せし、ご確認をいただいたのち、完成見本を提出します。

「ラフ」「カンプ」は、出版業界、印刷業界などで使われる専門用語です。

「ラフ」は、制作に取り掛かる前のざっくりとした下書きのこと。「カンプ」は、完成見本のこと。カンプリヘンシブレイアウト（Comprehensive layout）の略で、直訳すると「完全なレイアウト」です。

　例文6は、専門用語（業界用語）を一般的な言葉に書き換えたたことで、わかりやすくなっています。

「ラフ」「カンプ」という用語を使うのであれば、例文7、あるいは例文8のように用語の意味を説明して、書き手と読者の前提の知識を揃える必要があります。

> **【例文7】……説明を補足**
>
> 　印刷業界では、下書きのことを「ラフ」、完成見本のことを「カンプ」といいます。
> 　制作に入る前にラフ案をお見せし、ご確認をいただいたのち、カンプを提出します。

> **【例文8】……（　）で説明を補足**
>
> 　制作に入る前にラフ案（下書きのこと）をお見せし、ご確認をいただいたのち、カンプ（完成見本のこと）を提出します。

　次のページの例文9は医療関係者向け、例文10は一般向けに書かれた文章（文）です。

　どちらも内容は同じ（ビタミンCとがん予防の関連性について書いた内容）ですが、読者対象が違えば、表現方法も、専門性も

変わります。例文9は専門用語が多いため、一般向けの文章としては難解です。

【例文9】……医療関係者向け

　ビタミンCには、酸化防止作用があり、体内でフリーラジカルによるダメージから細胞を守るのを助ける。

　ビタミンCは in vivo でニトロソアミンなどの発がん物質の形成を制限し、免疫反応を調節することができる上、その抗酸化機能によってがんの原因となる酸化的損傷を減弱する。

【例文10】……一般読者向け

　果物や野菜からビタミンCを多く摂取する人は、肺がん、乳がん、結腸直腸がんなど、さまざまながんの発症リスクが低いと考えられます。

※例文9、10ともに、『厚生労働省eJIM（イージム：「統合医療」情報発信サイト）』を参考にして筆者が作成。

⑤アルファベット略語には説明を加える

　アルファベット略語は、もとの語の頭文字を並べていることから、「頭字語」ともいわれます。

　略語を使い慣れた者同士ではコミュニケーションを円滑にするので便利ですが、読者が略語の意味を知らないと文意が伝わりません。

　アルファベット略語は、できるかぎり使わない（略さずに日本語表記する）。使うときは、説明や注釈を付けるようにします。

【例】

「CS（顧客満足度）を向上させる」

「快適なドライブ体験を提供するためETC（自動料金支払いシステム）が生まれ変わった」

【略語の例】

- SDGs（Sustainable Development Goalsの略／持続可能な開発目標）
- CSR（Corporate Social Responsibilityの略／企業の社会的責任）
- IoT（Internet of Thingsの略／モノのインターネット）
- OPEC（Organization of the Petroleum Exporting Countriesの略／石油輸出国機構）
- ASV（Advanced Safety Vehicleの略／先進安全自動車）
- ITS（Intelligent Transport Systemsの略／高度道路交通システム）

書き手と読者の解釈を揃える

　文章は、情報を伝えるコミュニケーションツールです。

　コミュニケーションには、常に相手が存在します。したがって、「相手に伝わる」ように書くのが前提です。

　自分の備忘録として日記やメモを書くのであれば、読者を意識する必要はありません。読み手は「自分自身」ですから、自分本位に書きたいことを書いてもかまいません。

　ですが、「自分以外の人が読む文章」を書くのであれば、「相手に伝わる」ための配慮が不可欠です。

　「相手に伝わる文章」を書くには、次のポイントを意識します。

【伝わる文章を書くポイント】
- 相手が誤読、誤解しないように正確に書く。
- 書き手が思い描いたイメージ（物事に対する認識）と、読者が受け取るイメージを一致させる。
- 伝えたいこと（相手の知りたいこと）を過不足なく書く。
- 認識や考えを共有できるように書く。

　実用文やビジネス文書は、小説などの文学作品・芸術作品とは違い、結論を相手の解釈に委ねてはいけません。

　「100人が100人、全員が全員、同じ結論、同じ解釈ができる」ように、内容も表現のしかたも工夫する必要があります。

【イメージを共有する3つのポイント】

①形容詞や副詞は、数字に書き換える。

②必要な情報をモレなく書く。

③自分も内容を理解した上で書く。

①形容詞や副詞は、数字に書き換える

　形容詞、形容動詞、副詞は、読者によって解釈に幅が出ます。同じイメージを共有するには、「誰が読んでも同じ意味に受け取れる言葉（＝数字）」に書き換えます。

　とくにビジネス文書では、あいまいさを排除することが重要です。

- 形容詞……名詞や代名詞を修飾する言葉（代名詞は、「あなた」「これ」「彼」など）。物事の性質や状態をあらわす。「熱い」「美しい」「大きい」のように、「〜い」で終わる。

- 形容動詞……物事の性質や状態をあらわす。「きれいだ（です）」「静かだ（です）」「安全だ（です）」のように、「〜だ」「〜です」で終わる。

- 副詞……おもに動詞、形容詞、形容動詞を修飾する。
  動詞を修飾➡しばらく待つ／ゆっくり走る
  形容詞を修飾➡とても美しい／ずいぶん大きい
  形容動詞を修飾➡非常に静かだ／たしかにきれいだ

【例文1】……あいまい

なるべく早く納品します。

【例文2】……具体的

8月1日の午後1時までに納品します。

「なるべく早く」のイメージは人それぞれで、人によって想像する時間は違います。「8月1日の午後1時までに」と表記すれば読み手が誰であっても、「8月1日の午後1時までに納品される」ことがわかります。

【例文3】……あいまい

とても人気のある商品です。

【例文4】……具体的

とても人気のある商品です。販売目標は1000個でしたが、すでに3000個も売れています。

「とても人気のある商品です」で文を終わらせると、どれくらい人気があるのかがわかりません。例文4は、「とても人気のある商品です」に続けて、目標数と実売数を入れたことで、「人気の度合い」が具体的になりました。

【例文5】……あいまい

　父は、母のように料理ができない。

　例文5は、「母のように」のとらえ方によって、解釈が分かれます。

　解釈1：「母は料理ができるが、父はできない」
　解釈2：「父も母も料理ができない」
　解釈3：「父も料理はするが、母のようには上手にできない」

　解釈が分かれるのは、父と母の料理の技量がはっきり書かれていないからです。

【例文6】……解釈1

　父は、母とは違って、料理ができない。

【例文7】……解釈2

　父は、母と同じで、料理ができない。

【例文8】……解釈3

　父も料理をするが、母と違って上手ではない。

　「母は料理ができる。しかし、父はできない」のであれば例文6、「父も母も、料理ができない」のであれば例文7、「父は母ほど料理が上手ではない」のであれば、例文8のように書き換えたほうが、文意は正確に伝わります。

【例文９】……あいまい

昨日釣った魚は、とても大きい。

【例文10】……具体的

昨日釣った魚は、体長１メートルもあった。

例文９は、「魚がどれくらいの大きさなのか」がわからないため、正確さに欠けます。

「とても大きい」は主観的であり、読者によって解釈が変わります。「50センチの魚」を思い描く人もいれば、「３メートルの魚」を思い描く人もいます。

一方、例文10は「体長１メートル」と大きさを数字で示しています。

１メートルという長さは普遍単位（世界中どこでも通用する単位）なので、人によって解釈が変わることはありません。

②**必要な情報をモレなく書く**

情報不足は誤解やトラブルにつながるため、情報共有は「モレなく、ヌケなく」が基本です。

【例文11】（社内メール文）……情報不足

６月７日（水）に、本社３階の第２会議室にて、商品の販促プランに関する打ち合わせを行います。

よろしくお願いします。

【例文12】（社内メール文）……情報をすべて書く

　当社の商品「Ａ」の販促プランについて、以下の通り、打ち合わせを行います。

- 目的：「既存顧客のリピート率の向上」に関する販促プランのアイデア出し
- 日時：６月７日（水）午後１時から午後２時30分まで
- 場所：本社３階　第２会議室
- 参加者：鈴木、佐藤、山本、田中、斎藤

　本メールに、昨年までの「既存顧客のリピート率」がわかる資料を添付します。

　打ち合わせまでに目を通し、各自、販促案を考えておいてください。

　よろしくお願いします。

　例文11のメール文には、情報のヌケ・モレがあります。

- どの商品の販促プランなのか
- 何のための販促プランなのか
- 打ち合わせに参加するにあたって、事前準備は必要か
- ６月７日の「何時から何時まで」行うのか
- 誰が打ち合わせに参加するのか

　といった情報が記載されていないため、メールの受信者は、打ち合わせの詳細を把握できません。

③自分も内容を理解した上で書く

　書き手が内容を理解していない場合、読者に理解させる文章は書けません。

　難しい言葉をわかりやすい言葉に書き換えることができるのは、書き手自身が内容について深く理解しているからです。

　伝わる文章を書くには、「知ったかぶりをしない」ことが前提です。

「書き出し」で差をつける

「書き出し」とは、文章の冒頭部分（書きはじめ）のことです。

　書き出しは、文章の第一印象を決めます。書き出しで、

「この文章はおもしろそうだな」

「この文章は役に立ちそうだな」

　と思わせると、読み手の興味を引き出しやすくなります。

　逆三角形型やPREP法の基本形は、

「結論が先、説明はあと」

　です。結論を述べる前に、多くの人が

「疑問に思っていること」

「不安に思っていること」

「悩んでいること」

「知らないと損をする（知っていると得をする）こと」

　を提示すると、読者の関心を引きつけることができます。

　「○○○○のとき、どう対処すべきでしょうか？」

　「みなさんにも、○○○○という不安がありますよね？」

　「○○○○で困ったことはありませんか？」

　「○○○○を解決するには、どうしたらいいのでしょうか？」

　「○○○○を知らないと、知らぬ間に損をしているかもしれません」

最初に「疑問」「不安」「悩み」「損得」を提示すると、読者は書き手に共感しやすくなるため、
「この文章は、自分にも関係がある」
「自分にも心当たりがある」
　ことが際立ちます。

【例文１】……疑問形で共感を引き出す

・（疑問、悩み、不安、損得）
　梅雨の時期は、洗濯物の部屋干しが多くなります。
　洗濯物が生乾きになったり、部屋干し臭が気になることはありませんか？

・（結論）
　部屋干しは、干し方を工夫すると乾きやすくなります。
「洗濯物同士を密着させずに、風通しを良くする」「空気の動きの良い部屋の中央で干す」のがポイントです。

　例文１は、多くの人の悩みである「部屋干しのデメリット」を疑問形で投げかけ、読者に対して共感、同意をうながしています。
「私にも同じ悩みがある」と思わせることで、文章への興味・関心を高めています。

「書き出し 8 パターン」を使ってみる

　ブログやエッセイなど、形式（型）にとらわれないで、「自分の考え、感想」を書くときも、書き出しは重要です。

　「形式にとらわれずに自由に書く」ときほど、書き手のセンスが問われます。書き出しが凡庸だと、その先を読んでもらえないからです。書き出しに迷ったら、以下の 8 パターンをヒントに考えてみましょう。

【文章のプロも使っている書き出し 8 パターン】

・パターン①……会話から始める

「いつか、いつかと思うなら、今すぐはじめよう」

　今も忘れない恩師の言葉です。

・パターン②……動きのあるシーンから始める

　寂しさにこらえきれなくなったのか、3 歳の息子は、母の手をぎゅっと握った。

・パターン③……疑問を投げかける

　日本人は、なぜマスクを外せないのだろうか？

・パターン④……状況、現状を説明する

　年齢が下がるほど、SNS 上のトラブルが増加している。

- **パターン⑤……格言、名言を使う**

大谷翔平選手は、WBC決勝の試合前に次のように言いました。「僕らは今日、超えるために、トップになるために来たので、今日1日だけは彼らへの憧れを捨てて」

- **パターン⑥……意外な事実から始める**

「長時間の運動によって、かえって筋肉量が減ることがある」という事実をご存知でしたか？

- **パターン⑦……音から始める**

コツ、コツ、コツ。自分以外は誰もいないはずなのに、足音が聞こえた。

- **パターン⑧……損得勘定に訴える**

あなたは、払う必要のない税金を払い続けているのかもしれません。

主語と述語をセットにする

　文は、「何が（誰が）」「何は（誰は）」に当たる部分（＝主語）と、「どうする」「どんなだ」「何だ」に当たる部分（＝述語）から成り立っています。

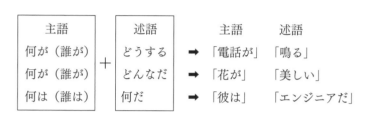

　主語と述語は、文の骨組みです。「主語がない」「述語がない」「主語と述語が離れている」と文意が不明瞭になります。

【主語と述語を明確にする４つのポイント】
①１文を短くする。
②主語を書いたら、対応する述語があるかを確認する。
③主語は述語の近くに置く。
④主語をむやみに省略しない。

①１文を短くする
　１文が長くなると、主語と述語が入り混じってしまい、「主語がどの述語に対応しているのか」「誰が（何が）どういう状態なの

185

か」がわかりにくくなります。

【例文１】……主語と述語が複数ある

　昨日入社した田中さんは、私がかつて勤めていたＡ社と取り引きのあったＢ社の社員で、そのとき私と田中さんは同じプロジェクトに関わっていたため、私たちは以前から面識があります。

【例文２】……主語と述語を対応させる

　私は、昨日入社した田中さんを以前から知っています。

　なぜなら、私たちは前職時代に、同じプロジェクトに携わっていたからです。

　私はかつて、Ａ社に勤めていました。

　田中さんは、Ａ社と取り引きのあったＢ社の社員でした。

　私たちは、そのとき以来の知り合いです。

　例文１は１文が長く、「私」「田中さん」「Ａ社」「Ｂ社」の関係性がわかりにくくなっています。

　例文２は、１文を短く分けて、主語と述語を１：１で対応させた文です。主語と述語の関係が明快になりました。

②主語を書いたら、対応する述語があるかを確認する

　主語と述語はセットです。主語に対応する述語が抜けていると、読み手は違和感を覚えます。

【例文3】……対応する述語がない

彼は、ゴルフは難しすぎる。

【例文4】……対応する述語がある

彼は、「ゴルフは難しすぎる」と話していた。

　例文3の主語は2つあります。「彼は」と、「ゴルフは」の2つ
です。「ゴルフは」に対応する述語は「難しすぎる」です。

　しかし、「彼は」に対応する述語がないため不自然です。例文4
のように「彼の状況」を説明する述語が必要です。

③主語は述語の近くに置く

　主語と述語は近くに置くのが基本です。

【例文5】……主語と述語が遠い

　田中部長は、商品Aの出荷は、社内の品質管理体制が確立
されないかぎり、中止にすると話していた。

【例文6】……主語と述語が近い

　「社内の品質管理体制が確立されないかぎり、商品Aは出荷
中止にする」と、田中部長は話していた。

　例文5は、「田中部長（主語）は、話していた（述語）」という
内容と、「商品Aは（主語）、出荷中止になった（述語）」という内
容が1文の中に含まれています。

　例文6のように、主語と述語を近づけたほうが、「田中部長は何

をしたか」「商品Aはどうなったか」が正確に伝わります。

④主語をむやみに省略しない

「主語＋述語」が文の基本です。主語を省かずに、「誰が」「何が」を明確にしたほうがわかりやすくなります。ただし、前述（142ページ）したように、「同じ主語が続くとき」と「人々や世間が主語のとき」は、主語を省くことができます。

【例文7】……主語がない

明日、到着するそうです。

【例文8】……主語がある

明日、新商品が到着するそうです。

例文7は主語が抜けており、何が到着するのかわかりません。例文8は主語があるため、「到着するもの」が明確です。

「句読点」の打ち方で
読みやすさが変わる

　句読点とは、句点（「。」いわゆる「マル」）と、読点（「、」いわゆる「テン」）のことです。

　句読点には、「文の意味を明確にする」「文章のリズムを整える」といった働きがあります。

【マル（句点）の５つのルール】

①文の終わりにつける

【例】

　私は、学生です。

②見出し、タイトル、箇条書きにはつけない

　見出し、タイトル、箇条書きには句点をつけないのが基本です。ただし、箇条書きの要素が「文」のときは、打つことがあります（本書では、読みやすさを考慮して、句点を打つ場合と、打たない場合を使い分けています）。

【箇条書きに句点をつける例】

- 人の体の約20％は、タンパク質からできている。
- タンパク質は、筋肉・内臓・皮膚・爪・毛髪などをつくる。
- 負荷の高い運動をしている人には、運動前・運動中のタンパク質摂取が効果的である。

③カギカッコの文末にはつけない

【正しい例】

「これ以上は意味がない」

　彼は言った。

【間違った例】

「これ以上は意味がない。」

　彼は言った。

「これ以上は意味がない」。

　彼は言った。

　ただし、「カギカッコ」のあとに別の文が続く場合は、句点を打ちます。

【例】

「これ以上は意味がない」。彼は言った。

④注釈の丸カッコのあとにつける

【例】

　現在の売上は１億円（６月１日時点）。

⑤筆者名、クレジットなどを表記するときは、丸カッコの前につける

【例】

　６月15日に、緊急地震速報の訓練を実施します。（気象庁）

テンの基本ルールを覚える

【テン（読点）の8つのルール】

①文の切れ目に打つ

【例】

　雨が止んだので、私は出かけた。

②修飾する文が長いとき、そのあとに打つ

（修飾する語とされる語の関係を明確にするときに打つ）

【例】

　昨日は遅くまでお酒を飲んでいたので、今朝は眠い。

③対等に並べるときに打つ

【例】

　犬も、猫も、鳥も、ハムスターも飼ったことがある。

④接続詞、逆接の助詞のあとに打つ

【例】

　しかし、私は違う意見だ。

　彼はそう言うが、私は違う意見だ。

⑤誤解を避けるために打つ

【例】

　× ここではきものを脱いでください。

　○ ここで、はきものを脱いでください。

⑥引用を示す「と」の前に打つ

【例】

　コーヒーを飲んでくる、と彼は言った。

⑦感動詞や呼びかけの句のあとに打つ

【例】

　やれやれ、ようやく終わった。

　こんにちは、お久しぶりです。

　ほら、だから言ったでしょ。

　いや、そんなことはありません。

⑧リズムの良い場所、呼吸をする場所に打つ

　声に出して読んだとき、「読点を入れたほうがリズムは良い」「読点を入れると呼吸がしやすく読みやすい」と感じたところに打つようにします。

　【例文１】……読点がないので、呼吸がしにくい

　文章の中に思いがけない驚き予想外の仕掛け常識とは異なる発見があると読者の興味を引きつけることができます。

　【例文２】……読点があるので、呼吸がしやすい

　文章の中に、思いがけない驚き、予想外の仕掛け、常識とは異なる発見があると、読者の興味を引きつけることができます。

なくても意味が通じる
「接続詞」を削る

接続詞とは、「文と文をつなぐ言葉」のことです。

接続詞があると、読者は「後ろの文（文章）の展開」を予測できます。たとえば「しかし」のあとには、前の文を否定する内容（前の文とは反対の内容）が続くことがわかるため、読み取りの負担が軽くなります。

【接続詞の効果】

- 接続詞で文をつなぐことで、論理展開を意識しながら書くことができる（論理破綻しにくい）。
- 接続詞のあとの文を強調できるため、伝えたいことがはっきりする。
- 前の文と後ろの文の関係性が明確になる。

接続詞は、前後の内容によって、「順接」「逆接」「並列」「列挙」「添加」「対比」「選択」「説明」「転換」などに分けられます。

使う接続詞を間違えると、誤解を招きやすくなるため、文意に適した接続詞を使いましょう。

【接続詞のおもな種類】

- 順接／前の文が後ろの文の原因・理由となる

  だから、なので、したがって、そのため、ゆえに、そこで

- 逆接／後ろの文が、前の文の内容を否定する

  しかし、だが、ですが、けれども、だからといって、とはいえ

- 並列／前の文と後ろの文を対等に並べる

  また、および、ならびに、かつ、同時に、同様に、同じように

- 列挙／順番を示して文を並べる

  第1に、ひとつ目は、2つ目は、最初に、次に、最後に

- 添加／前の文の内容に後ろの文の内容を加える

  さらに、加えて、その上、しかも、それも、そればかりか

- 対比／前の文と後ろの文を比べる

  一方、逆に、反対に、むしろ、それより、というよりも

- 選択／後ろの文で、前の文とは違う選択肢を提示する

  または、もしくは、あるいは、それとも、ないし、

- 説明／前の文の内容を後ろの文で説明する

  なぜならば、その理由は、だって、つまり、というのは、

  その背景には

- 転換／別の話題にかえる

  さて、ところで、そういえば、それはさておき、それはそうと

接続詞を多用しない

　接続詞は、文と文（文章と文章）につながりをつくります。し
かし、接続詞を多用すると、

「文章が冗長になる」

「文章の勢いや流れがさえぎられてしまう」

「接続詞が入り混じると、結論がわかりにくくなる」

　といったデメリットもあります。

接続詞は「使いすぎない」ことが大切です。

【接続詞の考え方】

①なくても意味が通じる場合は削る

順接の接続詞はなくても意味が通じる場合があります。

【例】

　明日からゴールデンウィークが始まります。~~したがって、~~私は実家に帰ります。

➡明日からゴールデンウィークが始まります。私は実家に帰ります。

　パソコンが故障した。~~だから、~~修理に出そう。

➡パソコンが故障した。修理に出そう。

②逆接の接続詞は、あったほうが文意は伝わりやすい

逆接の接続詞を削ると、前後の関係が見えにくくなります。

【例】

　疲れている。仕事を続けた。

➡疲れている。しかし、仕事を続けた。

　私はゴルフが下手だ。ゴルフが好きだ。

➡私はゴルフが下手だ。けれど、ゴルフが好きだ。

　彼はダイエットをしている。ほかの人よりもたくさん食べ

ている。

➡彼はダイエットをしている。にもかかわらず、ほかの人よりたくさん食べている。

③論文では、接続詞が多くなっても構わない

　論文は「論理展開を正しく、矛盾なく、飛躍なく書く」ことが目的なので、必要なところにはしっかり入れます。

④削るか残すか迷ったら、残す

　文章を書く上でもっとも大切なのは、美しい文章を書くことではなく、「正確に伝える」ことです。接続詞を削りすぎて文意があいまいになっては、元も子もありません。

【接続詞を正しく使うコツ】

・接続詞を気にせずに書く
　↓
・書き終わったあとで、削れる接続詞がないかを考える
　↓
・残すか、削るかで迷ったら「残す」

修飾語で文を飾りすぎない

　修飾語とは、主語や述語の状態、状況、様子を説明する部分です（修飾される語を、被修飾語といいます）。

【例文１】……修飾語で主語と述語の状態を説明
　　大きな雲が、ぽっかりと浮かんでいました。

「大きな」は「雲」を修飾し、「ぽっかりと」は「浮かんでいました」を修飾しています。

- 大きな……雲の状態をあらわす。
- ぽっかりと……雲が浮かんでいるときの様子をあらわす。

　修飾語は、イキイキした描写や具体的な説明を助けます。
　ですが、**修飾語を盛り込みすぎると、主語と述語の関係がわかりにくくなります。**
　主語と述語だけで短い文をつくり、必要な修飾語をあとから追加すると、冗長さを抑えられます。

【修飾語の３つのルール】
①修飾語は、修飾される語の近くに置く。
②長い修飾語を前に、短い修飾語をあとに置く。

③ひとつの修飾語はひとつの言葉だけ修飾する。

①修飾語は、修飾される語の近くに置く

　修飾語と修飾される語が離れると、どの言葉を修飾しているのかわかりにくくなります。

【例文１】……被修飾語がどれなのかわかりにくい
　昨日部長に提出済みの報告書に間違いがあったことが発覚した。

【例文２】……報告書を提出したのが「昨日」の場合
　部長に昨日提出済みの報告書に間違いがあったことが発覚した。

【例文３】……間違いが発覚したのが「昨日」の場合
　部長に提出した報告書に間違いがあったことが昨日発覚した。

　例文１は「昨日」が「提出済み」にかかっているのか、「発覚した」にかかっているのかが不明です。提出したのが昨日なら「提出済みの」の前に、発覚したのが昨日なら「発覚した」の前に「昨日」を置きます。

【例文４】……複数に解釈できる
　やんちゃな彼の猫

例文4の修飾語は「やんちゃな」です。「やんちゃな彼」なのか「やんちゃな猫」なのか、どちらの意味にも解釈できます。

　修飾語は、複数の意味に解釈できる位置に置かない。そのためにも、修飾する語と修飾される語を近くに置きます。

【例文5】……「彼」がやんちゃな場合

　やんちゃな彼は、猫を飼っている。

【例文6】……「猫」がやんちゃな場合

　彼のやんちゃな猫。

②長い修飾語を前に、短い修飾語をあとに置く

　修飾語が複数ある場合は、「長い修飾語が前、短い修飾語があと」です。

【例文7】……短い修飾語が前

　大きな東京湾で釣り上げた魚

【例文8】……長い修飾語が前

　東京湾で釣り上げた大きな魚

　修飾語が複数ある場合は、理解しやすい順番で配置します。

　例文7は、「東京湾が大きい」とも解釈できます。例文8のように、「長い修飾語」を前に、「短い修飾語」をあとに置くとわかりやすくなります。

③ひとつの修飾語はひとつの言葉だけ修飾する

　ひとつの修飾語で複数の言葉を修飾しようとすると、文意があいまいになります。

【例文9】……ひとつの修飾語で複数の言葉を修飾

　10個のりんごとなしを購入する。

【例文10】……「修飾語＋被修飾語」をセットにする

　10個のりんごと10個のなしを購入する。

（あるいは、「りんごとなしを10個ずつ購入する」）

　例文9は、「なしも10個購入したのか」があいまいです。「なし」も10個購入しているのであれば、例文10のように「なし」の前にも「10個」を補足します。

語尾でリズムをつくる

　語尾（文の末尾）は、文の意味、伝わり方、読みやすさ、リズムなどを決める重要な要素です。

　語尾が変わると、読後の印象も変わります。

【例】

　　彼が好きな飲み物は、コーヒーです。

　　彼が好きな飲み物は、コーヒーだ。

　　彼が好きな飲み物は、コーヒー。

　　彼が好きな飲み物は、コーヒーでしょう。

　　彼が好きな飲み物は、コーヒーか？

【語尾の３つのポイント】

①同じ語尾の繰り返しは「２回」まで。

②過去形と現在形を交ぜる。

③「です・ます調」と「だ・である調」を混在させない。

①同じ語尾の繰り返しは「２回」まで

　同じ語尾が「３回以上」続くと、文章のリズムが一本調子になります。

　同じ語尾の繰り返しは、２回までを意識してみてください。

「〜です」「〜しょう」「〜ます」「〜ください」などを使い分ける

と、文章にリズムが出ます。

【例文1】……同じ語尾を繰り返す

　先月、Ａ社から発表になった新型車は「○○○○」です。待望のモデルチェンジです。旧モデルとの大きな違いは、燃費性能が向上したことです。価格は○○○万円です。○月○日から販売開始です。

【例文2】……語尾にバリエーションをつける

　先月、Ａ社から「○○○○」の新型車が発表になりました。待望のモデルチェンジです。旧モデルとの大きな違いは、燃費性能が向上したこと。価格は○○○万円です。○月○日から販売されます。

②過去形と現在形を交ぜる

「〜した」「〜だった」など、過去形を乱用すると、文章のリズムが単調になります。

過去形の話の中に現在形を入れると、リズムが生まれます。

【例文3】……過去形だけ

　僕は、ゴルフのレッスンを受けたことがありませんでした。すべて独学でした。

　何度もコースに出て、自分なりに試行錯誤を繰り返しました。

　その結果、気がついたことがありました。「独学でゴルフを上達させるのは、とても難しい」ということでした。

【例文4】……過去形＋現在形

　僕は、ゴルフのレッスンを受けたことがありません。すべて独学です。

　何度もコースに出て、自分なりに試行錯誤を繰り返しました。

　その結果、気がついたことがありました。「独学でゴルフを上達させるのは、とても難しい」ということです。

③「です・ます調」と「だ・である調」を混在させない

　文末表現には、「です・ます調」と「だ・である調」があります。

●です・ます調……丁寧でやさしい印象を与える。

●だ・である調……力強さやキレの良さを与える。

　ひとつの文章の中に、「です・ます調」と、「だ・である調」を混在させないのが原則です。

【例文5】……「です・ます調」「だ・である調」が混在

　ビジネスの現場で重要なのは、お客様の要望を把握して、解決策を提案することだ。

　一方的に営業をかけたところで、契約を勝ち取ることは難しいでしょう。

　お客様のニーズを知るには、きちんと相手の話を聞くことだ。

　お客様の立場に立つのが、営業の基本です。

【例文6】……「です・ます調」に統一

　ビジネスの現場で重要なのは、お客様の要望を把握して、解決策を提案することです。

　一方的に営業をかけたところで、契約を勝ち取ることは難しいでしょう。

　お客様のニーズを知るには、きちんと相手の話を聞くことが大切です。

　お客様の立場に立つのが、営業の基本です。

比喩、たとえ話で印象づける

　比喩とは、

「ほかのものにたとえて、わかりやすく表現する」

　ことです。

「喩」には、「たとえて、意味・内容を理解させる」という意味が
あります。比喩やたとえ話を使うと、情報を正確に、わかりやす
く伝えることができます。

【比喩の効果】

• 書き手の主張を読者に印象づける

「社員を大切にしている」と書くより、「社員は家族である」と書
いたほうが、書き手の考えが色濃く伝わります。

• 理解しにくいものが、理解しやすくなる

「Aは、あなたが知っているBと同じ」と説明することで、伝わ
りやすくなります。

• 読者がイメージしやすくなる

「新商品は、とてもコンパクトです」と書くより、「新製品は、手
のひらサイズです」と書いたほうが、大きさをイメージできます。

• 説明に費やす文字数を減らすことができる

「田中くんは博識で、いろいろなことに詳しい」と書くより、「田中くんは歩く辞書だ」と書いたほうが、田中くんの人柄を端的に表現できます。

• 意味を強調できる

「笑顔が素敵な女性」と書くより、「ひまわりのような笑顔の女性」と書いたほうが、その女性の魅力が強調されます。

【比喩表現の種類（一例）】

• 直喩：「まるで〜のような」「〜みたいな」と説明付きでたとえる。

……まるで亀のようにゆっくり歩く。

• 隠喩：「まるで〜のような」「〜みたいな」を使わず、直接的にたとえる。

……時は「金」なり。

• 換喩：ある事物をそれと関係のある事物で表現する

……やかんを沸かす。（実際に沸いているのは、水）／夏目漱石を読む（読むのは夏目漱石の本）

• 提喩：上位概念を下位概念（下位概念を上位概念）で表現する

……今日は天気だ（「天気」は「晴れ」を指している。「天気」は「晴れ」の上位概念）

- 諷喩：たとえだけを示して意味を推測させる

  ……彼はキリギリスで、私はアリだ（キリギリスは遊んでばかりの人、アリは働き者のたとえ）

- 音喩：音を表現する

  ……雨がざあざあ降る。

- 擬人法：人間でないものを人間の言動にたとえる

  ……空が泣き出しそうだ。

　比喩には、さまざまな種類がありますが、一般的で使いやすいのは、「直喩」「隠喩」「擬人法」の3つです。

◉直喩と隠喩の違い

　隠喩には、「のような」「みたいな」など、比喩を明示する言葉がついていません。

　隠喩は、「AはBである」と断定するため、直喩よりも強い印象を与えます。

「知らないこと」を「知っていること」にたとえる

　異なるものに、「似ている点」「関連がある点」を見つけて結び付けると、伝わりやすくなります。

　ただし、Aという事象をBという事象にたとえるときは、次の2つに気をつけます。

【たとえる時の2つの注意点】

①「読者が知っているもの」にたとえる。

②書き手と読者の「イメージが揃うもの」にたとえる。

①「読者が知っているもの」にたとえる

【例】

「彼は、マルク・マルケスのようにバイクの運転がうまい」

➡「マルク・マルケス」は、オートバイレーサーです。ロードレースの世界では有名でも、一般的な知名度を考えると、「マルク・マルケス」を比喩に使うのはふさわしくありません。

　たとえば、

「彼は、白バイ隊員のようにバイクの運転がうまい」

「彼は、教習所の教官を思わせるほど、バイクの運転がうまい」

　と書いたほうが、彼の運転技術の高さを多くの人に伝えることができます。

②書き手と読者の「イメージが揃うもの」にたとえる

【例】

「スーパーで売られているサイズの魚を釣り上げた」

➡「スーパーで売られているサイズ」は人によって解釈が異なるため、書き手と読者のイメージが揃いません。

　比喩を使わずに「15㎝の魚を釣り上げた」と大きさを数字で示したほうが、イメージを共有できます。

助詞の「が」を正しく使う

【例文1】
「私が御社を担当します」
「私が御社を担当しますが、来月には別の者に引き継ぎます」

「私が」の「が」を「格助詞」、「担当しますが」の「が」を「接続助詞」と呼びます。
「助詞」とは、言葉と言葉をつないで、その関係を示したり、意味をそえたりする品詞です。

• 格助詞……おもに名詞について文節同士の関係をあらわすもの。
　　　　　　文節とは、言葉を区切った際に不自然にならない最
　　　　　　小の単位のこと。
• 接続助詞……文と文をつなぐもの。

「は」と「が」を使い分ける

　助詞の「は」と「が」は、どちらを使うかによってニュアンスが変わります。
「は」と「が」にはいくつもの用法があり、使い分けは複雑です。本書では、最低限の「使い分けルール」を紹介します。

①すでにわかっていること（既知の情報）には「は」

　まだわかっていないこと（未知の情報）には「が」

　主語をあらわす言葉が既知のときは「は」、未知のときは「が」を使います。

・「は」の場合……伝えたい情報は、「は」のあと。
・「が」の場合……伝えたい情報は、「が」の前。

【例文2】
「田中さんはエンジニアです」

【例文3】
「田中さんがエンジニアです」

　書き手も読者も「田中さん」のことを知っていて（既知）、「エンジニアだ」という情報を伝えたいときは、「は」（例文2）を使います。

　一方、エンジニアが誰であるかわからず（未知）、エンジニアが田中さんであることを伝えるときには、「が」（例文3）を使います。

②現象をそのまま伝えるときは「が」

　現象をありのままに伝えるときは、「は」より「が」のほうが「誰が、どうしたのか」がはっきりします。

【例文4】……現象をありのまま伝える

- 今朝から、雨が降っている。

- 今日の午後、社員総会が行われた。

- 目の前にいる猫が、あくびをした。

接続助詞の「が」は逆接のときに使う

接続助詞の「が」の用法は2つあります。「逆接」と「単純接続」です。

- 逆接の「が」……反対のことをつなげる。接続詞の「しかし」と同じ用法。

  ➡雨天中止も検討しましたが、開催することにしました。

- 単純接続の「が」……文と文を単純につなげる。

  ➡お話させていただいた納品の件ですが、8月1日までにお届けいたします。

とくに注意が必要なのは、単純接続の「が」です。

【単純接続の「が」に注意すべき理由】

- 前後のつながりのない文でもくっつけてしまうため、1文が長くなりやすい。

- 読者は「『が』のあとには、前の文とは逆の内容が来る」と予想して読むため、単純接続だと違和感を覚える。

【例文5】

　お話させていただいた納品の件ですが、８月１日までにお送りいたしますが、商品到着後に確認のお電話をいただけると助かります。

【例文6】

　お話させていただいた納品の件です。

　８月１日までにお送りいたします。

　商品到着後に確認のお電話をいただけると助かります。

　例文5は、単純接続の「が」で文をつなげた例です。１文が長くなる上に、「が」のあとに、「前の部分を否定する要素」がないため、読者に違和感を与える場合があります。

　例文5のように単純接続の「が」でつなげず、ワンセンテンス・ワンメッセージで文を切り分けたほうが、正確に伝わります。

　接続助詞の「が」を使うときは、「が」のあとに、前文の「逆」の内容をつないだほうがわかりやすくなります。

プロに聞く「コピーライティング」のノウハウ

出版プロデューサー

土井英司
どいえいじ

出版プロデューサー・書評家として、多くのベストセラーを
支えてきた土井英司さん。「書評は、本と読者の間の橋渡し」
と位置付ける土井さんに、「人を惹きつけるコピーライティン
グ」の書き方について伺いました。

Profile

慶應義塾大学総合政策学部卒業後、ゲーム会社を経て編集者・取
材記者・ライターとして修業。その後、「Amazon.co.jp」の立ち
上げに参画し、バイヤーとして活躍。売れる本をいち早く見つけ
る目利きと、斬新な販売手法で数々のベストセラーを仕掛け、「ア
マゾンのカリスマバイヤー」と呼ばれる。2001年、同社のカンパ
ニーアワードを受賞。2004年、有限会社エリエス・ブック・コン
サルティングを設立。著者のブランディング、プロデュースを手
掛けると同時に、出版社への企画・PR・マーケティングのアドバ
イス・支援も行う。ビジネス書評家としても知られ、ビジネス書
を紹介するメールマガジン『ビジネスブックマラソン』は５万
6000人以上の読者を獲得。発売２カ月で10万部を突破した『「伝
説の社員」になれ！』（草思社）など、著書多数。

出版できる人とできない人の２つの違い

文道：土井さんは出版プロデューサーとして、「本を出したい」と考えている人を数多く見ています。著者デビューできる人とできない人では、どのような違いがありますか？

土井：大きく２つあって、ひとつは、著者の独自性を的確にあらわす「キーワード」が見つかるかどうかです。

「10年愛」（土井さんが主催する『10年愛される「ベストセラー作家」養成コース』の略称）の卒業生でいうと、こんまりさん（近藤麻理恵さん／『人生がときめく片づけの魔法』の著者）のキーワードは「ときめき」。

江上治さん（『年収１億円思考』の著者）は「年収１億円」で、池田千恵さんは「朝４時起き」（『「朝４時起き」で、すべてがうまく回りだす！』の著者）。

亀田潤一郎さんは「長財布」（『稼ぐ人はなぜ、長財布を使うのか？』の著者）で、高橋政史さんなら「方眼ノート」（『頭がいい人はなぜ、方眼ノートを使うのか？』の著者）がキーワードです。

キーワードが見つかると、客層や読者ターゲットが明確になります。「朝４時起き」というキーワードで「朝活」のポジションを取った池田さんであれば、「前向きで、健康的で、まっすぐで、モチベーションの高い人」、江上さんなら「中小企業経営者」、こんまりさんなら「ときめきたい人」や「今の自分に不満を覚えている人」が客層になります。

文道：キーワード探しのお手伝いを土井さんがされているわけですね。どのようにキーワードを探していくのですか？

土井：その人の「癖」と、「読者の反応」を踏まえながら見つけていきます。癖とは、言い換えると、執念やこだわりです。

　こんまりさんには、「もう、捨てずにいられない！」という執念があるし、臼井由妃さん（『やりたいことを全部やる！時間術』の著者）には「時間の手綱は絶対自分で握りたい！」という執念があります。「癖」は、「好き」よりも強くて、その人のキャラクターを際立たせるメッセージです。

　それと、キーワードや著者のキャラクターに対する「読者の反応」も考慮しています。読者に「この著者は自分とはまったく違う」と思われると読んでもらえないので、「この著者は、自分のことをわかってくれる人間だな」「この著者は、自分の叶えたいことをすでに叶えている人だ」と共感してもらう必要があります。

　仮に、こんまりさんのキーワードが「ときめき」ではなく「乙女」だとしたら、男性は客層から外されてしまうし、女性の中にも、乙女キャラに反感を抱く人がいるはずです。

　芯を捉えたキーワードを見つけるには、強い癖を出しながら、反感を買わないバランスを見極めていくことが大切です。

文道：著者になれる人となれない人の、2つ目の違いは？

土井：受け身の人は、著者には向いていない気がします。著者は「本を出す人」「文章を書く人」であると同時に、「チームを引っ張っていくリーダー」です。

編集者もライターもデザイナーも、結局は著者を手伝うことしかできません。だからこそ著者は、「社会に何を訴えたいのか」「社会をどう変えたいのか」をはっきりチームに伝えるべきです。「こうしたい」という考えを持たず、「私はどうしたらいいですか？」と僕や編集者に尋ねるのも、「自分もあの著者と同じテーマで書きたい」と誰かの真似に走るのも、違うと思うんです。

　こんまりさんの『人生がときめく片づけの魔法』が話題になったあと、「こんまりさんみたいな本を書きたいです」という相談をたくさんいただきました。10人以上いたと思います。すでにこんまりさんの本があるのですから、「こんまりさんみたいな本はもういらない」というのが、僕の意見です。

　ピーター・ティール（電子決済サービス企業「ペイパル」の創業者）が指摘するように「人間は模倣で成り立ってる」ので、人は他人に感化されやすい。ですが、「すでにあるものに憧れて、自分も同じようになりたい」と考える人は、著者としてはふさわしくありません。

　著者の役割は、未来を創作することです。ですから著者には、「社会に新しい風、新しい仕組み、新しいコンセプトをもたらしたい」という意思とビジョンが必要です。

「好きなこと」よりも「苦じゃないこと」

文道：土井さんは、『ビジネスブックマラソン』（ビジネス書評メールマガジン／1日1冊厳選して紹介）を日刊で発行しています。『ビジネスブックマラソン』を始めたきっかけは？

土井：もともとは、「追い込まれている経営者」を救いたいという思いで始めたんです。

　経営者は孤独で、誰にも悩みを相談できないことがあります。僕の父も商売をしていたので、よくわかります。孤独や不安を紛らわせようと、お酒に逃げることもありましたから。

　経営者の背中には、重苦しいプレッシャーがのしかかっています。経営が上手くいかなくなったとき、「死ぬ」ことで責任を果たそうと考える人もいます。そうなってほしくないから、僕は書評を書いています。「本の中に、あなたの解決策の糸口がある。だから死ぬ必要はない」ことを知ってほしいんです。
「新しいコンセプトをつくるためにもがいている人」「苦しみながらも、未来を切り開くために前を向いている人」を応援するのが、僕の役割であり、生きがいですね。

文道： 2004年7月から発行をはじめて、すでに6000号を突破しています。最初から長く続けようと考えていたのですか？

土井：当初は、「とりあえず1000号までは出そう」と考えていました。「1000冊ぐらい読まないと、座右の書には出合えない」「1000冊読めば、本当の良書に出合える」からです。

　なので、「みなさんも頑張って1000冊読んでみませんか」というノリで始めたところ、思いのほか支持をいただけたので、今も続けています。

文道： 毎日本を読むのは、大変ではないですか？

土井：大変だと思ったことは一度もないですね。「他人が苦だと思うことが苦じゃない」と、それは強みになります。僕の場合は、本を読むことです。

　多くの人は、「好きなこと」を追い求めようとします。ですが、好きなことでも、やりすぎてしまうと嫌いになることがありますよね。簡単に言うと、「カルボナーラ」が好きだからといって、1日3食、毎日カルボナーラを食べ続けたら、飽きたり嫌いになったりするじゃないですか。

　でも仕事だって、同じことの繰り返しです。だとすれば、「好き」よりも「苦じゃないこと」のほうが継続できる気がします。ある程度量をこなさないと仕事は上達しないので、量をこなすことが辛いのであれば、そもそも、その仕事は向いていないのかもしれませんね。

文道：毎日何時から本を読んで、何時から執筆する、といったルーティンを決めているのですか？

土井：とくに決めていませんが、本を読むときのシチュエーションを重視しています。前書きや全体の雰囲気を見て、「この本なら、あの場所で読もう」とか。

　たとえば、道尾秀介さんの『水の柩』のゲラ（校正刷り）をいただいたときは、なぜか「秩父」（埼玉県）に行きたくなったんです。長瀞の川辺に座って日が暮れるまでページをめくっていると、なんだか「ゾワっ」とした、というか、気持ち悪さを覚えるようになりました。

文道： なぜ、ですか？

土井： 小説で描かれている情景と、僕のいる場所があまりにも似ていたからです。後日、道尾さんにそのことをお伝えすると、道尾さんからこう言われました。

「土井さん、じつはあの話の舞台は、秩父なんですよ」

　良い文章というのは、雰囲気や前書きだけでも、本の世界観を伝える力があるんですよね。秩父に導かれたのは、『水の柩』の世界観を僕の本能が拾ったからかもしれません。

コピーライティングは「冒頭」で決まる

文道： 書評を書くときのポイントを教えていただけますか？

土井： コピーライティング（読者に行動をうながす広告文）の機能は、商品と読者の橋渡しです。

「その著者に興味がない、そのテーマに興味がない」と思っている読者に対して、何らかのフックをかけて、興味を引き出さなければなりません。そのために重要なのが冒頭部分、書き出しの数行です。

　たとえば、僕が書評を担当した白川博司さんの『通販成功マニュアル』は、1冊3万円もするのにAmazonで1000冊も売れました。その書評の書き出しは、こうです。

　「大きな事業の陰には、必ずといっていいほど優れた『仕掛け人』が存在する。本書の著者、白川博司もまた、そんな人

物のひとりである。

　著者は、これまでに大小あわせて230社以上の通販事業を立ち上げ、成功させてきた、知る人ぞ知る、通販指導の第一人者。表舞台に出ることはめったにないが、指導したクライアントの年間売上は、多いところで数十億、数百億を誇る」

（引用：Amazon）

文道：この冒頭を読めば、通販事業に携わっていない人でも、白川博司さんという方の実績や、仕掛け人としての実力をうかがい知ることができますね。

土井：この本の場合、「3万円を安く感じさせる」ことが重要でした。ですから、「通販会社大手のあの会社も、この会社もすべて白川さんが関わっている」「その仕掛け人のノウハウと実例を公開している」という認識を読者に持ってもらう必要があったんです。

　冒頭部分では、「じつは、こうである」という事実や意外性を読者に提供することが大切ですね。

文道：『ビジネスブックマラソン』には、決まった「型」がありますよね。型を使うことも、継続的に書き続けるためには大切ですか？

土井：大切です。6000号も書き続けることができるのは、「型」があるからです。あの型は「お酒を飲んで酔っていても書ける型」なんです（笑）。

文道：読者に行動をうながすコピーライティングのコツを教えていただけますか？

土井：人には必ず、損失回避性があります。損失回避性とは、「得を求めるよりも損を避けたい」という心理傾向のことです。ですから、読者に「これをしても損をしない」、あるいは「これをやらないともっと損をする」と訴えかけることが重要です。

　たとえば僕が経営者に「これからのビジネスのためにも、海外視察に行ったほうがいいですよ」と助言をしても、ほとんどの経営者は行かないんです（笑）。なので僕は、伝え方を変えました。「もう1回ハネムーンに行くと思って、奥さんと一緒に海外視察に行ってください。ビジネスのヒントが見つからなかったとしても、奥さんは100％喜びます」

　見事に、ほとんどの経営者が海外視察に行くようになりました（笑）。奥さんが喜ぶ以上、「損にならない」ことがわかったからです。

　読者の損失回避傾向に問いかけながら、強迫感を与える強い言い回しは避けて、柔らかい表現に言い換えることも大切です。

文道：『ビジネスブックマラソン』では、「赤ペンチェック」と題して、気になった部分を抜き出して紹介しています。抜き出すポイントは？

土井：「面白い」の英語表現には、「interesting」「amazing」「funny」「exciting」などいくつかありますが、人が本を読む動機は、「interesting（関心を引く、興味深い）」です。「interest」には「利

益」とか「利する」という意味があるので、「読者を利するかどう
か」という視点で抜き出しています。

文道：読者にとってプラスになる、メリットになる、役に立つ情
報を提供するわけですね。

土井：そのとおりです。利益というのは、何もお金だけではなく
て、「ワクワクした」とか「起業したくなった」とか、「勇気が湧
いた」という前向きな気持ちでもいい。「この本を読んで得られる
利益は何か」を考えて、書評に落とし込んでいます。

主語と述語だけでも人を動かすことができる

文道：土井さんは、ご自身が講師を務める「ゼロから始める文章
を書かない文章講座」の中で、「文章術の9割は自制心である」と
アドバイスされています。自制心はなぜ必要なのでしょうか。

土井：言い訳をしないため、文章をムダに長くしないためです。
著者の中には、「読者から批判されたくない」という理由から、断
言することを避けたり、言い訳を並べたり、「こういうこともある
し、こういうこともあるし、こういうこともあります」と逃げ道
を残しておく人がいます。文章が冗長になってしまう原因のひと
つは、「自分を守りたい」と思うからです。
　文章において一番大事なことは、「主体が何をしたか」をはっき
りさせることなので、あれもこれも書かないように自分の感情を
コントロールしなければなりません。

文道：言い訳の言葉を並べない。論点をぼかさない。情報を盛り込んで冗長にしない。結論を明確に、シンプルに言い切る。そのためには自制心を働かせて、「言い訳を残しておきたい」という感情を抑える必要があるわけですね。

土井：そういうことです。僕の講座では、「主語と述語だけのシンプルな文でも人間を動かすことはできる」とお伝えしています。形容詞は主観にすぎず、じつはさほど意味をなさない。「おいしい食事」と言われても、おいしさは人それぞれであって、客観的ではありません。

　たとえば、目の前にライオンがいたとします。「ライオンは寝ています」だと、「今ならライオンから逃げられる」と思う。「ライオンは起きています」だと、「怖いな、ちょっとやばいかな」と焦りが生まれます。「ライオンはお腹を空かせています」だと、「食べられちゃうよ、やばいよ！」と身の危険を感じます。

　「寝ている」「起きている」「お腹が空いている」と述語を変えるだけで、読者の受け取り方や行動が変わります。バリューのある主語と、バリューのある動詞を組み合わせることができれば、余計な修飾語は必要ないですよね。

第 5 章

惹きつける

「見せ方」「見出し」「語彙力」で読みたいと思わせる

　どれほど役に立つ情報を載せても、どれほど正確に文章を書いても、読んでもらえなければ、情報を届けることはできません。

　読み手に、

「この文章はおもしろそうだ」

「この文章の内容が気になる」

「この文章を読んでみたい」

　と思わせるには、本文（記事／文章の主要部分）の質を上げると同時に、

- 誌面、紙面、画面の見せ方
- タイトル、見出しのつくり方
- 言葉の選び方（語彙力）

　にも工夫が必要です。

【見せ方】

　見せ方とは、誌面、紙面、画面のレイアウトのことです。レイアウト次第で、文章の視認性と可読性が変わります。

> ●レイアウト……文字、イラスト、写真、図、表などの要素を効果的に配置すること。

誌面、紙面、画面いっぱいに文字が詰まっていると、視認性と可読性が低くなります。

●視認性……パッと見た瞬間の文字の見やすさ。

●可読性……文字や文章の読み取りやすさ。

【タイトル・見出し】

　タイトルや見出しは、記事の要点を短い言葉にまとめたものです。**タイトルや見出しが読み手の目に留まらなければ、本文を読んでもらえる可能性は低くなります。**

【語彙力】

　語彙力とは、その人が持っている単語の知識と、それを使いこなす能力のことです。

　語彙力があると表現のバリエーションが増えるため、情報や自分の感情を的確に伝えることができます。

改行、空白行、行間を意識する

　文字の大きさや太さ、1ページの行数、1行の文字数、空白行、文字の配列、改行のタイミング、字間と行間のバランスなどによって、文章の読みやすさ、伝わりやすさが変わります。

【例文1】

「正しい順番で書く」「論理的に書く」ための方法のひとつは、「型にはめて書く」ことです。型にはめると、論理的な文章を早く書くことができます。「型」とは、書き出しから書き終わりまでの順番、パターン、ひな型、組み立てのことです。小説家、文芸評論家の丸谷才一さんの著作『文章読本』（中央公論新社）は、「もっとも正統的で、もっとも実際的な文章読本」として知られています。丸谷才一さんは、『文章読本』の中で、「頭に浮んだことをそのまますらすら写せばそれで読むに堪へる文章が出来あがるなんて、そんなうまい話があるものかといふことである」「文章は文章の型にのつとつて書くものである。それが作文の基本なのだ」と述べています。（参考：『文章力が、最強の武器である。』藤吉豊／SBクリエイティブ）

　例文1が読みにくく見えるのは、文字がぎっしり詰まっていて、「余白」が少ないからです。

●余白……誌面や画面の白い部分（文章、写真、図、イラストなどがない部分）のこと。

　余白がないと、読者に窮屈な印象を与えます。一方で余白があると、読み手に負担をかけない文章になります。

余白をつくるポイントは、

「改行」

「空白行」

「行間」

を意識することです。

●改行……行を変えて段落を分けること。段落とは、文章を
　内容で分けたかたまりのこと。

●空白行……文字のない行のこと。内容の区切り（段落）で
　1行あける。

●行間……行と行の間隔のこと。文字サイズの0.5〜1文字分。
　「小さい文字で行間が狭い」と、文字がつぶれて読みにくく
　なる。

【改行のルール】

・内容が変わるところで改行する。

　ただし、ひとつの文が長い場合は、内容が変わらなくても
改行する。

・行数では5、6行（文字数では200〜250文字）で改行する。

・パソコンやスマホなどの「画面」で読む場合は、2、3行
　で改行する。

・改行後の新しい段落では、1字下げて書き始める。

　インターネット上の記事やSNS、ビジネスメールでは1字
下げしないこともある（見やすさや、媒体のルール、社内ル
ールなどを踏まえて、1字下げするかしないかを判断する）。

「正しい順番で書く」「論理的に書く」ための方法のひとつは、「型にはめて書く」ことです。

　型にはめると、論理的な文章を早く書くことができます。

・「型」……書き出しから書き終わりまでの順番、パターン、ひな型、組み立てのこと。

　小説家、文芸評論家の丸谷才一さんの著作『文章読本』（中央公論新社）は、「もっとも正統的で、もっとも実際的な文章読本」として知られています。

　丸谷才一さんは、『文章読本』の中で、
「頭に浮んだことをそのまますらすら写せばそれで読むに堪える文章ができあがるなんて、そんなうまい話があるものかということである」
「文章は文章の型に則って書くものである。それが作文の基本なのだ」
　と述べています。

※例文１、例文２は、『文章力が、最強の武器である。』（藤吉豊／SBクリエイティブ）を参考にして筆者が作成。

　改行（１字下げ）と空白行を入れ、行間を広げたのが、例文２です。

　小さくて太い書体だと文字がつぶれてしまうため、文字の大き

さと太さも変更しています。

　丸谷才一さんのコメント部分は箇条書きでまとめ、余白をつくると同時に要点を整理しています。

　例文1よりも余白が多いため、視認性と可読性が改善されて、すっきりした印象です。

「段落が長すぎる」「1行の文字数が多すぎる」「改行がない」「漢字が多い」と、読み飛ばしや、誤読の原因にもなります。

　改行、行間、空白行をこまめに入れて、誌面や画面の印象を良くしましょう。

わかりやすさを
視覚的に補強する

　文章の内容を「図解化（視覚化）」すると、情報の全体像や構造、ことがら同士の関係性がわかりやすくなります。

　文章で説明するだけでなく、情報を図解化した表、グラフ、チャート、リストなどを補足することで、読者の理解をうながすことができます。

【図解の基本形】

①ピラミッド

　上下関係や階層関係を表現できる。

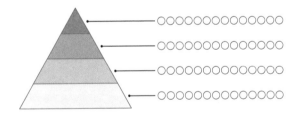

②フローチャート

　ものごとの流れを表現できる。

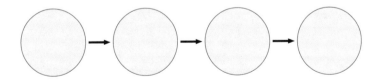

③ツリー

親子関係や階層を表現できる。

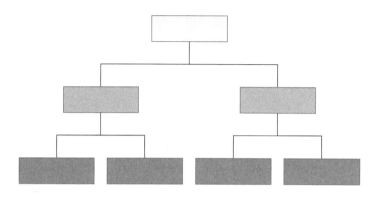

④リスト・表

構成要件をまとめて表現できる。

	○○○○○○○○	○○○○○○○○	○○○○○○○○
○○○○○○○○	✓	✓	✓
○○○○○○○○	○	○	○
○○○○○○○○	○○○○○○○○	○○○○○○○○	○○○○○○○○
○○○○○○○○	○○○○○○○○	○○○○○○○○	○○○○○○○○

⑤グラフ

2つ以上の数量の関係を表現できる。

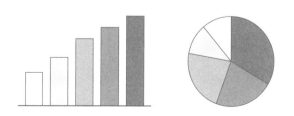

⑥マトリックス

　分類を表現できる。情報を縦軸と横軸に分類して、相関関係やポジショニングを表現できる。

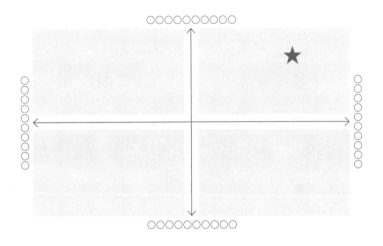

⑦ベン図

　情報の集合体を表現できる。

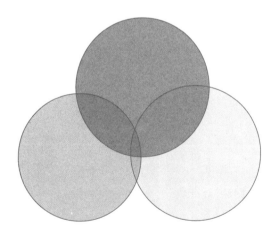

【例文1】……文だけで説明

　投資信託には、国内株式型、国内債券型、海外株式型、海外債券型、バランス型、国内REIT、海外REIT、金や原油など、さまざまな種類があります。

【例文2】……文と表で説明

　投資信託には、国内株式型、国内債券型、海外株式型、海外債券型、バランス型、国内REIT、海外REIT、金や原油など、さまざまな種類があります。

【投資信託のおもな種類】

投資対象	国内	海外
株式	国内株式	海外株式
債券	国内債券	海外債券
REIT（不動産投資信託）	国内REIT	海外REIT
その他	金や原油など、上記以外	

　例文1のように投資信託の種類を言葉で挙げるだけでなく、「表とセット」で説明したほうが、全体の概要が伝わりやすくなります。

語彙力を磨くと、
文章も磨かれる

　前述したように、語彙力とは、書き手が持っている単語の知識と、それを使いこなす能力のことです。「語」には「言葉」、「彙」には「同じものを集める」という意味があります。

　語彙力をつけたほうがいいおもな理由は、次の4つです。

【語彙力をつけたほうがいい4つの理由】

①正確に説明できる

　ものごとを説明するときに、的確な言葉を選んで表現できます。相手も文意を正確に理解できます。

②理解力が上がる

　語彙を豊富に知っていると、本を読んだときや人の話を聞いたときに、内容を深く理解できます。知らない言葉が多いと、読み進めることができません。

③豊かに表現できる

　同じ言葉の繰り返しが減り、表現力が豊かになります。

④ものごとを深く考えることができる

　言葉は、コミュニケーションのツールであると同時に、思考のツールです。人は言葉でものごとを理解しています。言葉を使わ

なければ、考えることはできません。

　自分の持っている語彙以上の思考はできないため、ものごとを深く、論理的に思考するためにも、語彙力が必要です。

　たとえば、「お金」の類語には、以下の言葉があります。

【お金の類語】

　硬貨、銭、貨幣、金銭、マネー、キャッシュ、ゲル（ゲルトの略で、戦前の学生語）、お足、用脚（ようきゃく）、現なま、丸、先立つもの、金員（きんいん）、金円（きんえん）、金銀、実弾、銭金（ぜにかね）、銀子（ぎんす）など。

　【例文１】

　　先立つものがない。

「先立つもの」とは、「何かの行動を始めるために必要となるお金」の意味です。

「先立つものがない」とは「お金がないから始められない」という趣旨を遠回しに伝えています。「お金がない」と直接的に書くより、「何かを始めたいと思っている」というニュアンスを表現すると同時に、露骨な印象をやわらげることができます。

　【例文２】

　　あの動画はおかしい。

　【例文３】

　　あの動画の内容は、疑わしい。CGで作成したのではないか。

【例文4】

　あんなにバカバカしいことを一所懸命やっているところに、あの動画のおもしろさがある。

「おかしい」には、「おもしろい」「疑わしい」「変わっている」など、複数の意味があります。

　例文2は、「おかしい」で表現したいのがどのような状況なのか、不明瞭です。

　例文3や例文4のように、ほかの表現で「何が、どうおかしいのか」を具体的に説明したほうが、書き手と読者のイメージは揃います。

読んでもらえるかどうかは、タイトル（見出し）で決まる

　読者は、タイトルや見出しを見て、
「この文章に、自分の知りたい内容はあるか」
「この文章に、どんな内容が書かれてあるか」
　を判断します。
　読者が文章の内容を読むかどうかは、「タイトルと見出しで決まる」と言っても言いすぎではありません。

- **タイトル**……文章につける題名、作品名のこと。作品全体のテーマを示す。本書の場合は『日本人のための「書く」全技術【極み】』がタイトルに当たる。

- **見出し**……内容の要点を短い言葉にまとめたもの。「何が書いてあるか」を事前に示す道標となる。記事全体の内容を示す見出しを「大見出し」、文章の区切りごとに入れる見出しを「中見出し（「なかみだし」あるいは「ちゅうみだし」と読む）「小見出し」と呼ぶこともある。本項でいえば「読んでもらえるかどうかは、タイトル（見出し）で決まる」が大見出し。

【見出し（タイトル）をつけるときの７つのポイント】
①文章の内容がすぐにわかるようにする（具体的に書く）。
②見出しと同じ内容の言い回しを本文中にも使う（本文中の言い

回しを見出しに使う）。

③本文中の「キーワード」を組み合わせる。

④「メリットがある」と期待させる（役に立つ、得する、損をしないと思わせる）。

⑤「自分に関係がある」と思わせる。

⑥メインタイトルは主題、サブタイトルは説明。

⑦パターンに当てはめる。

それぞれ、詳しく説明します。

①文章の内容がすぐにわかるようにする（具体的に書く）

　実用文を書く場合、タイトルや見出しを見ただけで、「何について書かれてあるのか」がイメージできるようにします。

「自分の知りたい内容が書かれているかわからない文章」と、「自分の知りたい内容が間違いなく書かれている文章」を比べた場合、後者のほうが可能性が高くなります。

- 抽象度の高い言い回しや遠回しな表現を避ける（抽象的なタイトルをつける場合は、サブタイトルで内容を説明する。以下⑥で詳述）。

- 不特定多数を対象にした文章であれば、難解なカタカナ語や専門用語は使わない。

　たとえば、「クレジットカードによる自動車税の納付」に関する記事に、タイトルをつけたとします。

　以下の例文１と例文２を比べたとき、例文２のほうが「何につ

いて書いた文章か」が明確です。

【例文1】

　自動車税の納付について

【例文2】

　知らないと損！　自動車税をクレジットカードで払う3つのメリット

②見出しと同じ内容の言い回しを本文中にも使う（本文中の言い回しを見出しに使う）

　見出しの言葉を本文にも使うと、書き手の主張や情報を強調できます（語句を完全に一致させる必要はありません）。

③本文中の「キーワード」を組み合わせる

　本文中のキーワードを組み合わせることで、「読者ターゲット」「文章を読むメリット」「書き手の主張」「内容の独自性、意外性」を具体的に表現できます。

- 『自由であり続けるために20代で捨てるべき50のこと』（サンクチュアリ出版）
- 『マッキンゼー流 入社1年目問題解決の教科書』（SBクリエイティブ）
- 『5年で売上2倍の経営計画を立てなさい』（KADOKAWA）
- 『オンラインでの「伝え方」ココが違います！』（すばる舎）
- 『社会人になったらすぐに読む文章術の本』（KADOKAWA）

SEO対策の上でも、キーワードの組み合わせは重要です。

　SEO対策とは、特定のWebサイトを検索エンジンで上位表示させるために行う施策のことです。

④「メリットがある」と期待させる（役に立つ、得する、損をしないと思わせる）

「役立つ情報が掲載されている」「この文章を読めば得をする（読まないと損をする）」ことがわかると、読者の興味を引くことができます。

【例文3】

　箱根の温泉情報

【例文4】

　期間限定！　「1万円台」で泊まれる箱根の高級温泉旅館

　例文3は、本文に、箱根に関するどのような情報が掲載されているのか（どんなメリットが読者にあるのか）がわかりません。

　例文4は、「1万円台」で「箱根の高級旅館に泊まれる」というメリット（得する情報）を押し出しています。

⑤「自分に関係がある」と思わせる

　第1章でも説明したように、多くの読者に読んでもらうには、

「この文章に書かれている内容は、自分にも関係がある」

「ここに書かれてある情報は、自分にも必要だ」

と思わせる必要があります。

- 「自分に関係がある」＝「メリットがありそうだから、読んでみたい」
- 「自分には関係がない」＝「自分には必要ない情報なので、読まなくてもいい」

　以下の３つのタイトルを比べたとき、多くの人に「自分にも関係がある」と思ってもらえるのは、（３）です。

（１）「居酒屋の接客マニュアル」
（２）「飲食店の接客マニュアル」
（３）「サービス業の接客マニュアル」

「居酒屋」に限定するよりも、「サービス業」としたほうが、読者の数は多く見込めます。

⑥メインタイトルは主題、サブタイトルは説明
　サブタイトルとは「副題」のことです。
　サブタイトルの役割は、「本文の内容を具体的に説明すること」です。サブタイトルをつけることで、メインタイトルだけでは伝わらない文章の内容を補完できます。

【例】
- メイン……『100％好かれる１％の習慣』（ダイヤモンド社）
- サブ………500万人のお客様から学んだ人間関係の法則

- メイン……『富女子宣言』（幻冬舎）
- サブ………20代女子が５年で1000万円貯める方法

- メイン……『「変われない自分」を一瞬で変える本』（きずな出版）
- サブ………いちばんカンタンな潜在意識のあやつり方

⑦パターンに当てはめる

　どんな見出しをつけていいか迷ったら、以下のパターンに当てはめてみるのも有効です。

- 疑問／「なぜ○○なのか？」「どうして○○なのか？」
「なぜ、１文を長くしてはいけないのか？」

- 否定／「○○ではない」
「文章を書くのに、才能もセンスも必要ない」

- A＝B／「○○は、○○である」
「プロの文章は、１文が短い」

- 数字／数字で具体性を出す
「１文の目安は『60文字』が最適解」

- 断定／「○○○だけで、○○○になる」
「型を使うだけで、誰でも確実に早く書ける」

・対比／「○○○より大事なのは、○○○である」「○と△の違い」
「美しい文章を書くことより、記事の内容を充実させる」
「文章が上手な人と下手な人、何が違うのか」

・効果／「○○すると、○○になる」「○○○のメリット」
「１文を短くすると、事実関係が明快になる」
「１文を短くする３つのメリット」

・命令／「○○○しなさい！」
「文章力を磨きたいなら、書いて、書いて、書きまくれ！」

プロに聞く「見せ方」のノウハウ

デザイナー

さい とう みつる
斎藤充

ビジネス書、実用書のデザイナーとして活躍する「クロロス」の斎藤充さんに、読みやすく、わかりやすい誌面づくりのポイントについて、教えていただきました。

Profile

出版社勤務後、2002年からフリーランスのDTPデザイナー、エディター、ライターとして独立。クルマ、カーグッズ、映画、ビジネス、育児、タウン情報、ライフスタイルなど、幅広い分野にて編集・ライティング・DTPデザインに携わる。2010年以降は、ビジネス書、実用書のデザインに注力。文道の2人も参加するフリーランスユニット「クロロス」のメンバー。『一度読んだら絶対に忘れない世界史の教科書』（SBクリエイティブ）、『社内プレゼンの資料作成術』（ダイヤモンド社）、『英語は10000時間でモノになる』（技術評論社）など、数多くのベストセラーの制作を支えている。本書の中面デザインをはじめ、文道の書籍『「文章術のベストセラー100冊」のポイントを1冊にまとめてみた。』（日経BP）、『社会人になったらすぐに読む文章術の本』（KADOKAWA）の中面デザインも担当。文道がもっとも信頼する人気デザイナー。

あえて「読者目線」に立たない理由

文道：斎藤さんはデザイナーであると同時に、編集者・ライターという肩書きもお持ちです。デザインをする上で、編集経験、ライター経験は役に立っていますか？

斎藤：役に立っていますね。編集経験があるからこそ、編集者側の考え、意図、好みを読み解くことができていると感じています。
　デザイナーの視点と編集者の視点、両方の視点から誌面をバランス良くつくり込んでいけるのが利点かな、と。

文道：斎藤さんはおもに、書籍の中面デザイン（中面：表紙以外の目次や本文のデザイン）をされています。受け取った原稿に、目を通しますか？

斎藤：目を通しますが、あえて「深く読み込まない」ようにしているんです。

文道：なぜですか？

斎藤：余計な感情に引っ張られないためです。原稿を読み込めば、どうしたって僕も読者としての感想を持つようになります。「おもしろい、つまらない」とか、「もっとこうしたらいいのに」とか、「この内容なら、絶対こういうデザインがいい」とか……。
　大事なのは、僕がどう思うかではなくて、「どうすればもっとも

見やすく、もっともわかりやすい誌面にできるか」です。読者目線に立ちすぎると発想が偏ってしまい、俯瞰してデザインを考えることができなくなります。ですから、感情の情報はあまり多く入れないように心がけているんです。

明朝体とゴシック体を使い分ける

文道：中面の書体（フォント）を決める際、ゴシックと明朝の使い分けはどうしていますか？

斎藤：本文の場合、ざっくり言うと、「ベーシックに見せたいなら明朝」、「少し新しさを加えたいならゴシック」ですね。

　たとえば、ビジネスパーソンがワードやパワーポイントを使って企画書を書く場合、「ベーシックな商品やサービスを紹介する」のであれば明朝をメインに、「まだ世に出ていない新商品を紹介する」のであればゴシックをメインに使うと、視覚的にもわかりやすくなると思います。

> 【例文】
> ● **呼び声ひとつで音楽を再生できる最先端スピーカー（ゴシック）**
> ● 定番商品を選りすぐって商品化します（明朝）

文道：一般的に、タイトルや見出しにはゴシックが使われることが多いですよね。

斎藤：見出しやタイトルの約8割は、ゴシックですね。明朝の見出しが難しいのは、うまく書体を選ばないと、強迫感、圧迫感、煽り感が強くなりすぎてしまう傾向があるからです。

　一方でゴシックだと、「言葉の強さ」「メッセージの強さ」を強調しやすいですね。

文道：リリースされたばかりの新しい書体を使うこともありますか？

斎藤：もちろんありますが、使うか使わないかは、あくまでも読みやすさ優先で決めています。

　僕は「人間が読みやすいと思う文字の形はある程度決まっていて、すでに出尽くしているのではないか」と感じています。

　たとえば、既存の明朝体を崩したフォントがリリースされたとします。クセがあっておもしろい書体かもしれません。ですが「おもしろいこと」と、「読みやすいこと」は違うので、本文書体に関しては、「おもしろい」とか「新しい」という理由だけで使うのはリスクです。

文道：見出しの見せ方ついては、どのように考えていますか？

斎藤：大見出し、中見出し、小見出しには、それぞれ役割があります。書体を変えなくても文字の大きさを変えればメリハリがついて、役割がわかりやすくなります。

　級数（文字の大きさをあらわす規格）だと4級差（1級＝0.25ミリ）、ポイントだと、3、4ポイント差（1ポイント＝約0.35ミ

リ）をつけて、役割を変えています。

「大見出し」は記事全体を指し示すもの
↑14ポイント

「小見出し」は文章の章や節などにつける見出し
↑11ポイント

余白をつくってコンパクトに見せる

文道：本書は「横書き」を予定しています。横書きのほうが、「読みやすさ」「気軽さ」を優先できると考えたからです。ビジネスパーソンが作成する企画書、提案書、プレゼン資料も、多くは横書きだと思います。横書きの文章を見せるときの注意点を教えてください。

斎藤：縦書きよりも横書きのほうが、1ページの文字数は多くなるのが一般的です。その分、情報量も多くなるため、窮屈さや読みにくさを感じさせない配慮が必要です。
　ワードでビジネス文書を作成するのであれば、1行の文字数が多くならないように左右に余白を設けて、「コンパクトにまとめる」ことを意識するといいと思います。

文道：余白がなく、文字がぎっしりと詰まって見えると、それだけで読む意欲が削がれてしまいます。

斎藤：仮に「1行30文字」に設定したとします。すべての行を30文字埋め尽くしてから改行した場合、段落が変わったことがわかりにくいため、改行をしているのに文字が詰まって見えてしまいます。

　一方、15文字～20文字程度で改行をすれば、「内容の区切り」が視覚的にもわかるため、読みやすくなります。

　以前、僕が雑誌の編集に携わっていたとき、「1行17文字詰め」のレイアウトを埋め尽くすように原稿を書いたら、当時の先輩編集者に文字を削られたことがありました。「文字を削ったから、ポコポコ空きができたじゃん」と思っていたのですが、雑誌が出来上がったとき、感心しました。適度に余白があって、とても読みやすかったんです。

文道：「1行に文字を埋め尽くさないで改行をする」ことも、読みやすくする上で大切なのですね。

斎藤：そう思います。

【例文】……行を埋め尽くさずに改行する

　日本は、世界有数の地震大国で、これまで多くの地震や津波による災害を経験してきました。　　　　　　　　余白

　例えば、平成28年の熊本地震において、最大震度7の地震が2度発生したほか、一連の活発な地震活動によって、甚大な被害を受けました。　　　　　　　　余白

　大きな被害をもたらす地震は特定の地域に限って発生しているわけではなく、全国各地で発生しています。　　　　余白

大きな地震によって強い揺れとなった地域では、地震活動で家屋などが倒壊したり、落石やがけ崩れなどの土砂災害が発生しやすくなったりします。　　　　　　　　　　余白

※気象庁ホームページ『地震から身を守るために』を参考に文道が例文を作成

「はっきりした色」でメリハリをつける

文道：「色」の使い分けについて教えてください。ビジネスパーソンが企画書やプレゼン資料をつくるとき、どのような色をどのように使うと、訴求力が上がると思いますか？

斎藤：淡い色は使わずに、はっきりした色を使ったほうが効果的です。誰が見ても青だ、赤だ、緑だ、オレンジだと、はっきりわかる色を使うといいですね。淡い色よりもはっきりした色のほうがメリハリもつくし、色の機能美（メッセージを効果的に伝える役割）が発揮されやすいと思います。簡単に言うと、「濃くしちゃえばいい」。

　かといって、色をたくさん使えばいいわけではありません。色が多すぎると「どこが、どのように大事なのか」「どこを強調したいのか」がわかりにくくなります。

　ワードで企画書をつくるのであれば、２色で十分でしょうね。「本文書体は明朝で、色は黒。強調したい文言は太字のゴシックで色は黒。見出しは色文字」にするだけで、視認性を高めることが

できます。

デザイン力を伸ばすには「測る」のが一番

文道：企画書やプレゼン資料をつくるとき「見栄えを整えたい」
「センスよく仕上げたい」「読んでもらえるレイアウトにしたい」
と考える人は多いと思います。どうすれば、デザイン力や見せる
力を伸ばすことができるでしょうか。

斎藤：定規で「文字の大きさ、行間、字間、余白を測ってみる」
のが一番です。「この雑誌の、この部分の空きは何ミリだろう？」
「この本の行間は、何ミリ空いているんだろう？」「この文字の大
きさは何ミリだろう」と測っていくことで「空きの感覚」や「文
字の大きさの感覚」が身につくと思います。

　ワードやパワーポイントで資料をつくるときも、文字の大きさ
や空きの感覚はとても大事です。「自分もこんな資料をつくってみ
たい」というお手本があるのなら、文字の大きさや空きを測って、
真似してみる。用紙に出力をしなくても、100％等倍で表示をす
れば画面上で測れると思います。

文道：斎藤さん自身は、どのようにデザイン力を磨いたのですか？

斎藤：僕も、定規や級数表（文字の大きさ、文字の配置を測るた
めのツール）を使って、測ったんです。
「この文字は３ミリだから、級数に換算すると12級か」とか、「こ
ういう組み方をするときは、これくらいの空きが適正なのか」「こ

の誌面の段組はすごくわかりやすいな。何ミリ空いているのだろう？」と興味を持って測り、そして真似をしながら、誌面づくりの考え方を身につけた感じですね。

文道：お手本にした雑誌はありますか？

斎藤：スポーツ総合雑誌『Sports Graphic Number』は参考にしましたね。シンプルな誌面で、文字の形もわかりやすいので。

文道：今後は、デザインとどのように関わっていきたいですか？デザイナーとしてのビジョンや目標があれば、教えてください。

斎藤：「中面のプロフェッショナル」が、もっとも性に合っていると思います。もちろんカバーのデザインも好きですけど、やっていて気持ちいいのは中面のほうですね。手をかけた分、きれいに整っていくのがわかりますから。効率良く、ミスなく見せる方法を自分なりに模索するのも好きなので。

文道：斎藤さんが考える理想の誌面は？

斎藤：仕掛けやルールを細かく設定して、インデザイン（デザインソフト）を駆使して、手が込んでいるのにシンプルに見えるデザインが究極ですね。
　たとえば、椅子に座ったときに、「いい椅子だな」と思わせる椅子より、「椅子に座っている」ことさえ感じさせない椅子のほうが、完成度が高いと僕は思うんです。椅子って、「座り心地のよい椅子

に座る」ことだけが目的になることは少ないですよね。椅子に座ったら、その先の行動に目的があるので、たとえば本を読むとか、絵を描くとか、「椅子に座ってから行うことに集中できる椅子」こそが、一番いい椅子だと思っています。

　誌面のデザインも同じです。大見出し、小見出し、本文、キャプション（写真の説明文）、書体、文字の大きさ、色、余白、すべてに役割があります。ですが、役割を主張しすぎず、すべてが馴染んでいて、自然で、スイスイ読める。それが"いい椅子＝いい誌面"だと思います。

「読みやすいな」よりも、まず「おもしろいな」と感じて、いつの間にか集中して読み終えて、本の内容がしっかり心に残っている。そんな誌面が、本としては理想ですね。

第6章

推敲する

文章を書き終えたら、
磨き上げる

　文章を書いただけ（書きっぱなし）では、「読んでもらえる文章」にはなりません。

　読んでもらえる文章とは、「引っかかることなく読み進められ、内容がスラスラ頭に入ってくる文章」のことです。

　読んでもらえる文章にするには、文章を書き終えたあとの推敲が欠かせません。

　推敲とは、より良い文章になるように「仕上げる」ことです。何度も読み返して、修正を重ねていきます。

　リズムを崩さず、早く書き上げるために、書いている最中は、文字の間違いは気にしない。その代わりに、「推敲には時間をかけ、何度も見直す」という文章のプロもいます。

　推敲の目的は、おもに４つあります。

【推敲の４つの目的】
- 誤字（変換ミス）、脱字（書き落とした文字）をなくす。
- 情報（内容）に間違いがないかを確認する。
- 文字を付け加えたり、削ったりして、読みやすくする。
- よりわかりやすい表現に差し替える。

　文章に誤字や脱字、内容の間違いがあると、信頼を失うことに

なりかねません。読みにくい文章や、わかりにくい表現があると、伝えたいことが相手に正確に伝わらない可能性もあります。

　推敲をし、間違いや読みにくさをなくしていくことで、より読みやすい文章になっていくのです。

推敲するときの11のチェック項目

　推敲するときのチェック項目は次の11項目です。

【推敲の11のチェック項目】

①書かれている内容に間違いがないか、論理が破綻していないか点検する。

②文字を削って、1文を短くする。

③改行や空白行で余白をつくる。

④誤字・脱字をなくす（とくに固有名詞には注意）。

⑤句読点を適切に打つ。

⑥漢字、ひらがなの比率を適正にする。

　（漢字対ひらがなの適正な比率は、2〜3割対3〜7割）

⑦表記を統一する。

⑧用語を統一する。

⑨不快感をともなう表現、差別語を避ける。

⑩主語と述語の関係を見直す。

⑪重複表現を避ける。

間違いやすい文字一覧

【名前（一例）】

- あべ　➡「阿部」「安倍」
- おおた　➡「太田」「大田」
- きくち　➡「菊地」「菊池」
- さいとう➡「斎藤」「斉藤」「齋藤」「齊藤」
- さかぐち➡「坂口」「阪口」
- たかはし➡「高橋」「髙橋」
- とみた　➡「富田」「冨田」
- なかじま➡「中嶋」「中島」「中嶌」
- ほりぐち➡「堀口」「掘口」
- やまざき➡「山崎」「山﨑」
- わたなべ➡「渡辺」「渡邊」「渡部」「渡邉」　など

【同音異義語】

- あう

合う……一致する。例）計算が合う。好みが合う

会う……人と人が顔を合わせる。例）○○と会う約束がある

- あがる

上がる……高い位置に移動する。例）物価が上がる

挙がる……はっきりわかるようになる。手が上に伸びる。例）手
　　　　　が挙がる

- いしょく

委嘱……仕事を人に頼んでまかせること。例）講師を委嘱する

移植……植物等をほかの場所に植え替えること。身体の一部や臓
　　　　器をほかの部分や、他の人に移し植え込むこと

・**かいてい**

改訂……書籍などの内容をあらためて直すこと。例）改訂版

改定……前のものをあらためて決め直すこと。例）料金の改定

・**かくりつ**

確率……ある事象が起こる割合。例）成功する確率が高い

確立……物事をしっかりとしたものにすること。例）制度の確立

・**きてい**

規定……決まりや規則を定めること。例）規定の料金

規程……官公庁や企業など、内部組織で事務手続きなどについて
　　　　定めた規則。例）服務規程

・**じんこう**

人口……国や都市など一定の地域の人の総数

人工……人が手を加えてつくること

・**せいさん**

清算……金銭の貸し借りを整理しきれいにすること

精算……詳しく正確に計算すること。例）交通費を精算する

・**ついきゅう**

追求……手に入れたいものを追い求める

追及……責任・原因などを問いただす

追究……わからないことを深くつっこんで明らかにしようとする
　　　　こと

・**ようけん**

用件……しなくてはならない仕事。用事。例）用件を伝える

要件……必要な条件。重要な用件。例）応募要件を満たす

安心して読んでもらうために
表記を統一する

　推敲のチェック項目の中で、スキルがなくても、簡単に文章の質を上げることができるのが、「⑦表記の統一」「⑧用語の統一」です。

　ひとつの文章や記事、冊子の中に、同じ言葉なのに複数の表記があることを「表記の揺れ」といいます。

【例文】
　「この英語の意味が分かりますか？」と聞かれました。
　私にはわかりませんでした。

　上記の文章では、「わかる」という同じ意味の言葉について、一方は漢字、一方はひらがなで書かれています。読むと違和感があります。
　どちらかに統一して、表記の揺れをなくすことを「表記の統一」といいます。
　表記の統一をすると、おもに３つの効果があります。

【表記統一の３つの効果】
- 「整えられた文章」として読み手に安心感を与えられる。
- 読み手の負担が減る（同じ言葉なのにさまざまな表記があると、

「何か意味があるのか？」と深読みされる）。

- 内容の理解がスムーズにできる。

会社や媒体ごとの「表記ルール」に従って揃える

では、表記は何を基準に統一するのでしょうか。

おもに次の方法で統一します。

①会社や媒体ごとの表記ルールに従う

表記のルールは、会社や出版社、雑誌、書籍ごとに異なる場合がほとんどです。

とくに決めていないケースもあります。

「表記のルール」を定め「表記の統一表」をつくっていたり、表記統一のルールをまとめた市販の「用字用語集」に従っている会社や出版社もあります。

記事や書籍を書く場合は、執筆前に、発注者（仕事を依頼してきた人）に表記統一のルールがあるかどうか、基本となる「用字用語集」があるかを確認します。

もし、ルールがあるのなら、執筆の過程でそのルールに則って書くと、推敲のときに楽です。

②自分なりの表記ルールに従う

筆者の場合、出版社からの指示が特段ない場合は、最初につくった『「文章術のベストセラー100冊」のポイントを1冊にまとめてみた。』の表記に揃えることにしています。

自分たちなりの表記ルールを決めておくと、執筆時にも、推敲

のときにも迷わないからです。

　ライターや編集者を目指す場合、執筆する機会が多い場合は、指針とする市販の用語集を1冊用意しておくと便利です。

【用字用語集の一例】

『記者ハンドブック 第14版：新聞用字用語集』（共同通信社）

『用字用語　新表記辞典　新訂五版』（第一法規）

『読売新聞 用字用語の手引 第6版』（中央公論新社）

『最新用字用語ブック 第8版』（時事通信社）

『【改訂新版】朝日新聞の用語の手引』（朝日新聞出版）

③迷ったら広く使われているほうを選ぶ

　表記のルールに出ていない言葉で、2つのうちどちらの言葉を使ったらいいか、迷うケースもあります。

　その場合、広く一般的に使われているほうを選びます。

　辞書数冊を調べて、多く掲載されている言葉のほうを選ぶ方法もあります。

　また、インターネットの検索窓に2つの言葉をそれぞれ入れてみて、多くヒットするほうに決める手もあります。

　たとえば、Googleで検索すると、

「コンピュータ」は315,000,000件

「コンピューター」は75,100,000件

　ヒットします。

　この場合は、「コンピュータ」を採用します。

とにかく揃える

　表記の統一では、引用文（引用文は、原文のままの表記にする）などを除き、とにかく揃えていくようにします。

　統一するときのポイントは次の5つです。

【表記統一の5つのポイント】

①「ひらがな」か「漢字」に統一する。

②送り仮名を統一する。

③カタカナは音引き（「ー」、長音符号）に注意する。

④数字の基本は算用数字。

⑤欧字は半角、全角を揃える。

　それぞれくわしく見ていきます。

①「ひらがな」か「漢字」に統一する

　表記の揺れが起こりやすいのは、既述の例文のような、ひらがなと漢字の使い分けです。

【揺れが起こりやすい「ひらがなと漢字」の一例】

「わかる」「分かる」

「とき」「時」

「いま」「今」

「こと」「事」

「ください」「下さい」

「わたし」「私」
「もっとも」「最も」
「ひと」「人」
「よく」「良く」
「よろしく」「宜しく」
「はじめまして」「初めまして」

　また、「たまご」「玉子」「タマゴ」、「ねこ」「猫」「ネコ」のように、ひらがなと漢字とカタカナが混在するケースもあります。

②送り仮名を統一する

　送り仮名は、内閣告示の「送り仮名の付け方」によって、表記の目安が示されています（文化庁のホームページで見ることができる）。一定の基準があるのです。

　しかし、すべての送り仮名が「ひとつだけ」と決められているわけではありません。

　ややこしいのは、「送り仮名の付け方」の中に、「許容」という項目があることです。「本来はこの送り仮名だが、こっち（下枠の〔　〕内）も『許容』する」というわけです。

　つまり、「どちらの送り仮名でもいい」言葉があるのです。

　たとえば、次のような言葉です。

【許容〔どちらの送り仮名を使ってもいい言葉〕の一例】
・表す〔表わす〕　・著す〔著わす〕　・現れる〔現われる〕
・行う〔行なう〕　・断る〔断わる〕　・浮かぶ〔浮ぶ〕

- 生まれる〔生れる〕　　・押さえる〔押える〕
- 捕らえる〔捕える〕　　・晴れやかだ〔晴やかだ〕
- 積もる〔積る〕　・聞こえる〔聞える〕　・起こる〔起る〕
- 落とす〔落す〕　・暮らす〔暮す〕　・当たる〔当る〕
- 終わる〔終る〕　・変わる〔変る〕

※文化庁のホームページ「送り仮名の付け方」より一部抜粋

これらの言葉も文章を書く際には、どちらかに統一します。

③カタカナは音引き（「ー」、長音符号）に注意する

カタカナの表記で揺れが多いのは、言葉の末尾の音引き（「ー」）
です。

> **【揺れが多いカタカナ（末尾の音引き）の一例】**
> 「コンピュータ」「コンピューター」
> 「キャンディ」「キャンディー」
> 「ドライバ」「ドライバー」
> 「プリンタ」「プリンター」
> 「ブラウザ」「ブラウザー」
> 「ソファ」「ソファー」
> 「フォルダ」「フォルダー」
> 「ドア」「ドアー」
> 「マネージャ」「マネージャー」

「コンピュータ（ー）」「フォルダ（ー）」「プリンタ（ー）」など、パソコンやネットワーク関連の言葉にしばしば揺れが見られます。

　これは、工学や学術論文の分野では「長音符号を省く」ルールを、新聞やテレビ番組などでは「長音符号を付ける」（内閣告示に基づく）ルールをそれぞれ採用していた（ルールが２つあった）ためという説があります。

　どちらを使っても明らかな間違いとはいえません。

　業界や会社によってルールを設けている場合もあります。

　迷ったときは、取材先や編集者（一般企業の場合は上司）などと相談して決めるとよいでしょう。

　それでも迷った場合は、内閣告示のルールに基づく「長音符号を付ける」にするのが無難です。

④数字の基本は算用数字

　数字も揺れやすい表記の代表格です。

　漢数字（一、二、三など）か算用数字（１、２、３など。「洋数字」「アラビア数字」ともいう）か、半角か全角か、桁数が多くなった場合のカンマの入れ方はどうするか、など選択肢が多いためです。

　以前は「縦書きのときは漢数字、横書きのときは算用数字に揃える」のが一般的でした。

　しかし、現在は、縦書きでも横書きでもほぼ算用数字で書いています。目にする新聞や雑誌もほとんどが算用数字を採用しています。

「五百七十」「三万五千」

と書くよりも、

「570」「3万5000」

と書いたほうが、一読で単位を把握できます。

ただし、熟語や慣用句、漢数字の入った固有名詞では、漢数字も使います。「一人旅」「二人三脚」「一人前になる」「○○二郎」などです。

数字の表記をあとで揃えるのは手間がかかるので、最初に表記ルールを決めておくとよいでしょう。

【決めておきたい数字の表記ルール】

- 全角、半角のルール。

  【例（筆者の場合）】

  横書き……数字1字：全角、2字：半角、3字以上：半角

  縦書き……数字1字：全角、2字：半角、3字以上：全角

- カンマを入れるかどうか（例：2000か2,000）。

- 桁数が多くなったときの単位語（十、百、千、万、億、兆など）の扱い（「十、百、千は使わない」など）。

⑤欧字は半角、全角を揃える

欧字は半角と全角が揺れやすいので統一が必要です。

筆者は、見やすさの観点から、

（1）横書きのときは半角

（2）縦書きのときも基本は半角で横書き

（3）縦書きのときで欧字1字の場合は全角で縦書き

（4）縦書きのときで略字を使う場合は2字以上でも全角で縦書き

を基本ルールとしていて、下記の通りとなります。

欧字の表記ルールを統一したときの見え方

（1）コラムは英語で書くと column です。

（4）
世界保健機関のことです。
WHOとは

（3）
彼はTシャツが
似合います。

（2）
コラムは英語で書くと
column です。

不快になる表現は使わない

「推敲の11のチェック項目」の⑨に「不快感をともなう表現、差別語を避ける」があります。

どんな表現が不快感をともなうのか、避けるべき差別語とは何かを、日ごろから学ぶ必要があります。

何気なく使った言葉によって、当事者を傷つけたり、不快感を与えたりすることがあるためです。

大切なのは、その言葉を使われた人の立場になって考えてみることです。

既述の『記者ハンドブック 第14版：新聞用字用語集』『最新用字用語ブック 第8版』などには、「差別語、不快語」の項目があります。一部を下記にまとめました。

【気を付けたい「差別語・不快語」と言い換え例（一例）】

※「➡」のあとが言い換え例

- どもる➡言葉がつかえる
- 気違い➡精神障害者
- アルコール中毒（アル中）➡アルコール依存症
- 足切り➡二段階選抜、門前払い
- 植物人間➡意識が戻らない状態の患者
- 帰化➡国籍取得

- サラ金➡消費者金融
- 〜キチ、〜気違い➡マニア、熱狂的なファン
- 裏日本・表日本➡日本海側・太平洋側
- 後進国➡途上国、発展途上国
- 父兄➡父母、保護者
- 婦警、婦人警官➡女性警官
- 特殊学級➡特別支援学級

　表現のガイドラインを公表している自治体もあります。「表現、ガイドライン」で検索すると、インターネットで見られますので、確認しておくとよいでしょう。

「時間」「目線」を変えて
推敲する

　推敲をするときのポイントは次の５つです。

【推敲のポイント】
- 時間を置く。
- プリントアウトする。
- 横書きを縦書きにする。
- 音読する（声に出す）。
- 他人の目を入れる。

時間を置いてから読み直す

　推敲する際に大切なのは、文章を書き上げたあと、時間を置いてから読み直すことです。「時間を置く」のは、文章を寝かせることで客観的に自分の文章を読めるからです。
　書いた直後だと、

- たとえ原稿に誤字脱字があったとしても、原稿を書いたときの文章が頭の中にあって、それで補って読んでしまう
- 書いたときの気持ちが残っているため、客観的に読めない

　といった理由からです。

「原稿を置く時間」の目安は、最低ひと晩、理想は1週間です。筆者たちは、今日書いた原稿を翌朝に読み直すようにしています。提出までに時間があれば、さらに読み直します。

　1週間以上置くと、「こんなこと書いたかな？」と思う記述に出合うこともあります。

プリントアウトして読む

　文章のプロたちは、推敲をするときは、パソコンやスマホの画面上ではなく、紙（用紙）にプリントアウトすることをすすめています。

【画面よりも用紙で見たほうがいい理由】
- 画面よりも用紙のほうが一覧性（全体の把握）に優れており、構成を確認しながら推敲できる。
- 書き手から読み手に意識が変わるため、客観的にチェックができる。

「用紙で読むと脳が分析モードになるため、画面で見るよりミスに気づきやすい」という説もあります。メディア論で知られる英文学者マーシャル・マクルーハンの理論です。

　マクルーハンによると、

①反射光（紙に印刷された文字は紙に反射した光）で読む……脳が分析モードになる➡間違いに気づきやすい

②透過光（モニター画面）で読む……送られてくる映像情報をそのまま受け止める➡間違いに気づきにくい

ということです。

（「日刊建設工業新聞」2015年4月15日『回転窓／反射光と透過光の違い』より）

　筆者たちも、現状はプリントアウトして推敲をしています。

　プリントアウトした原稿をページ順に揃え、赤いペンを持って、文章を読んでいきます。修正が必要な箇所があれば、赤ペンで修正を入れます。

　パソコンの画面を見ながらよりも、間違いを見つけられる確率が高いことを実感しています。

　現代社会はペーパーレスが推奨されています。推敲のためにプリントアウトするのは無駄と考える人もいるかもしれません。

　しかし、原稿が印刷されたり、電子化されたりして、多くの人に読まれることを考えると、少しでも磨き上げた原稿を書く必要があります。

　技術革新によって、新しい推敲の方法が生まれるまでは、プリントアウトをして原稿確認をする作業は続きそうです。

横書きを縦書きレイアウトにして目線を変える

　マイクロソフトのワードを始めとするテキストエディター（文章作成のアプリ）は、初期設定が横書きになっています。そのため、文章を作成する際には、多くの人が横書きで書いていると思います。

　筆者たちも、書籍の制作や雑誌記事を書く際は、横書きで執筆

します。仕上がりが縦書きの場合は、書き上げたあとに、テキストエディターのツールでレイアウトを縦書きにして、指定の文字数や行数に揃えて納品します。

　推敲するのは、テキストエディターでレイアウトを変更した後です。レイアウトを縦書きに変更してから推敲をするのは次の理由からです。

【レイアウトを縦書きにしてから推敲する理由】
- 目線が変わり、新たな気持ちで原稿を読むことができる。
- 横書きで書いていたものを縦書きに変えると、文字の転倒（欧字や数字が横向きになっていること）を発見できる。

文字の転倒例と赤字指示のしかた

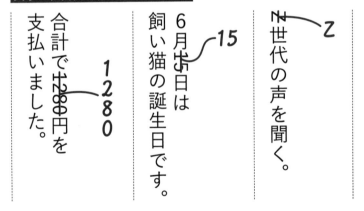

　ちなみに校正刷（後述）の段階で転倒が見つかったときは、上記のように赤字をいれます。「赤字を入れる」とは、赤ペンで修正指示を入れることです。

音読は読み飛ばしをなくし、誤字脱字が見つけやすい

推敲は声に出して読む（音読）のも有効です。

音読は多くの文章のプロたちが推奨しています。

【音読のメリット】

- 読み飛ばすことができないため、誤字脱字を発見しやすい。
- 声に出すことで、読みやすさや文章のリズム、句読点の位置などを確認できる。

人間の脳は、文章を読むときに一文字ごとに読むのではなく、まとまりとして文字列を認識するといわれています。

そのため、単語の最初と最後が正しければ、それ以外の文字が間違っていても、問題なく読めてしまいます。脳が勝手に単語を予測して補正するためです。これを「タイポグリセミア現象」といいます。たとえば、「はめじしまて」という文字列を、「はじめまして」と認識する人が多いのも補正が働いているからです。

音読することで、タイポグリセミア現象にも対応できます。

音読をして、スラスラ読めないところや、リズムの悪いところなどは、文章を見直す候補となります。

推敲はできるだけ回数を重ねるのが基本です。

- 1度目は論理展開が破綻していないか、内容が面白いかなどを確認しながら
- 2度目は表記の間違いを確認する

- 3度目は黙読をして最終点検をする

　など、回数ごとの推敲の目的を決めて読むと精度が上がります。

他人の目を入れる

　他人の目で読んでもらうと、書き手と違う視点が入ります。自分では気づかなかった修正箇所を発見できます。

　筆者の会社員時代には、チームでひとつの媒体をつくることがありました。4人なら4人で分担（担当ページ）を決めて、1冊の雑誌などをつくり上げます。

　その際に、1冊分の校正刷（校正のために刷った印刷物、ゲラ）が上がってくると、回し読みしてチーム全員ですべてのページに目を通しました。全員の赤字が入った自分の担当ページを確認すると、毎回、何か所もの赤字が入っていました。

　自分では完璧に見たつもりでも、修正点があったり、「意味がわかりにくい」といった指摘が入っていたのです。

　自分で音読をしたり、プリントアウトして原稿を読んだりして、客観的な立場で読んだとしても限界があります。

　本当に客観的な視点を入れるには、他人の目を入れるのが効果的です。

　他人に読んでもらい、修正を入れてもらうのは、「推敲」ではなく「添削」であるとする考え方もあります。

　文章の作成の過程では、他人に読んでもらい、疑問点や修正箇所を指摘してもらったあと、自分で修正作業をするため、本書では、「推敲」に含めています。

基本の校正記号を覚える

　書き終わった文章を読み直す作業として、「推敲」のほかに、「校正」と「校閲」があります。3つは次の違いがあります。

【推敲・校正・校閲の違い】

- 推敲……文章をより良くするために内容や表現を執筆者本人が練り直すこと。
- 校正……文字や表現の誤りを直すこと。
- 校閲……内容の誤りや不備がないかを調査したり、正したりすること。

　推敲は自分で行うのが基本ですが、校正や校閲は自分以外の第三者、編集者やプロ（校正者、校閲者）などが行うこともあります。

　校正刷に赤字が入ったものを、印刷会社やDTP（パソコン上で印刷物のデータをつくること）の担当者が修正します。修正がスムーズに行えるように、出版業界では、校正に用いる記号が決められています。

　すぐに使える、よく使う校正記号を紹介します。

　校正記号も修正する文字も赤いペンで入れるのが基本です。

文字を削除したいとき

トルツメ

伝わる文章を書くポイント~~は~~は、5つあります。

↓

伝わる文章を書くポイントは、5つあります。

　削除したい文字の上に線を引き、「トルツメ」「トル」のように赤字で書きます。どちらの記号を使っても通じますが、「トルツメ」（「文字を取って空いたスペースは詰める」）のほうがよりわかりやすいです。文字を取って、スペースをそのまま空けておきたいときは、「トルママ」と書きます。

文字を追加したい（脱字を入れたい）とき

り

事実関係をはっきさせる必要があります。

↓

事実関係をはっきりさせる必要があります。

　「文字を追加したい」ときは、図のように「V」字の逆のような記号を入れて、記号の尖った部分から線を引き、挿入したい文字を書きます。

文字の間違いを正すとき

改訂

~~海底~~とは書籍などの内容をあらためて直すこと。

↓

改訂とは書籍などの内容をあらためて直すこと。

「文字の間違いを正す」ときは、間違っている文字を赤線で消して、消した文字のそばに正しい文字を書きます。

文字を入れ替えたいとき

問題は「コミ〔ニュ〕ケーション不足」にあります。

↓

問題は「コミュニケーション不足」にあります。

「文字を入れ替えたい」ときは、該当する箇所に長い「S」字のような記号を入れます。行を入れ替えたいときも同様に該当箇所に「S」字の記号を入れます。

改行(行を変える)をしたいとき

　文章が苦手な人は文の型を覚えよう。型を覚えると早く文章が書ける。

↓

　文章が苦手な人は文の型を覚えよう。
型を覚えると早く文章が書ける。

「改行」したいときは、図のような指示を入れます。改行の場合は、新しい行の最初は1字下がります。

改行をしないとき

　文章が苦手な人は文の型を覚えよう。
型を覚えると早く文章が書ける。

↓

　文章が苦手な人は文の型を覚えよう。型を覚えると早く文章が書ける。

「改行をしない」ときは、図のように前の文の最後と、後ろの文の最初をつなぐ記号を入れます。

訂正をやめるとき

モトイキ

修飾語は修飾したい語句の近くに置く。 ~~ナルツメ~~

↓

修飾語は修飾したい語句の近くに置く。

「訂正をやめる」ときは、訂正した文字の近くに「モトイキ」「イキ」(元の記載内容が生きる)と書き、訂正した指示を消しておきます。

小さい文字(捨て仮名)を大きくしたいとき

新型コロナウ∨ルス感染症は5類感染症に移行。

↓

新型コロナウイルス感染症は5類感染症に移行。

「小さい文字を大きくしたい」ときは、該当する文字に「∨」の記号をかぶせます。

校正者

栁下恭平
やなしたきょうへい

鷗来堂は社員約50名を抱える、日本でも有数の校正・校閲専門の会社です。栁下恭平さんは、同社の代表を務める傍ら、校正校閲の専門学校も手掛けています。校正校閲を知り尽くす栁下さんに、「推敲」「校正」「校閲」のコツについてうかがいました。

Profile

1976年生まれ。株式会社鷗来堂代表、かもめブックス店主。さまざまな職種を経験し、世界中を放浪、帰国後に出版業界に入る。編集職を経験する中、校閲を知り、そのおもしろさに魅了され、28歳の時に校正・校閲を専門とする会社、鷗来堂を立ち上げた（2023年7月現在、社員数約50名）。校正講座も運営。
2014年末には、神楽坂に書店「かもめブックス」を開店。2016年にはテレビドラマ『地味にスゴイ！校閲ガール・河野悦子』の校閲監修を務めた。出版から販売まで幅広く書籍に関わる仕事をしている。

校閲をしていると眠れないくらい脳が覚醒する

文道：校正・校閲はどういうお仕事ですか？

柳下：校正・校閲は、出版物やウェブの情報が公開される前の情報を確認して、著作権者や文責のある人に「これって間違っているんじゃないですか」と尋ねる仕事です。

「うちは校閲の会社です」と言ってますけれども、校正もしています。

　厳密に分けると、校正は、「赤字が直っているか」「手書きの原稿が初校時に原稿どおりに組まれているか」などを確認する仕事です。確実に赤字どおりにしなければいけないところを見つけて、100点にするための仕事といえます。

　校閲の仕事は、そもそも100点が存在しません。

「てにをは」を直しても100点にはなりません。

　やっているのは、「もしかしたら、これはこういうほうがいいんじゃないですか」という提案です。「この文章、そもそもちょっと伝わりにくくないですか」と聞くのも仕事です。

　100点が存在しないところで間違いの可能性を見つけていくのが校閲です。

文道：校正や校閲のおもしろさや、やりがいはどんなところにありますか？

柳下：ゲラをずっと読んでいると、独特の校閲ハイみたいな状態

になるんです。脳の使い方が、読書とも違うし、編集の作業とも違う。純粋に文字を読んで、間違いを見つけることだけをやるのは、とても楽しいです。

「山登りは何が楽しいんですか？　登ってるだけでしょ」というのと同じで、山登りそのものが楽しいのと似ています。

山登りをしていない人にとって、山登りの楽しさはわかりにくいですよね。ですが、山登りをする人にとっては、特別な目的がなくても「山を登り続けること」それ自体が楽しいわけです。僕もそれと似ていて、校正とか、校閲という作業そのものがおもしろいんです。

しかも、それが仕事になって、著者さんや編集さんに感謝されるのは、やりがいがあります。

1文字ずつ校閲的情報処理をすると、脳が活性化して、夜寝る前にゲラを読むと眠れなくなるほど覚醒します。

ファクトチェックは国会図書館がベスト

文道：ネットの情報も当てにならないことがありますよね。ファクトチェックはどうやってやるのですか？

栁下：一番いいのは図書館です。

国立国会図書館に行って、関連書籍をあたります。

コツとしては、原稿に書かれている参考資料をまず縦断的に見ていきます。「この事実においては、この書籍が肝だな」という本にあたりをつけて、探して、その本の目次を見て調べていきます。

ウェブで使うのは公的資料や1次資料です。

調べるときは、なるべく資料がどう書かれているかをリアルに想像するのがコツです。

　たとえば、統計であれば、必ず和暦で調べたほうがいいんです。公的な資料はたいてい和暦で書いているからです。数字はカンマを入れて検索したほうが、公的な資料の文体に沿っています。

　すると、公的な資料にヒットする確率が高くなります。

　あとは、地方図書館で調べることもあります。

　たとえば山内一豊のことを調べたかったら、四国の高知の図書館に資料が揃っています。

文道：１次資料といった場合、何を指しますか。

柳下：文責（文章の責任）があることです。Wikipediaもすごく便利ですけれど、誰が書いたかわかりません。

　私たちがいう１次資料は、誰が書いて、どこに文責があるかが明確である資料のことです。

　２次資料は、１次資料を見て誰かが書いたもののことです。

　これも文責があれば資料に使うこともあります。でも、優先するのは１次資料です。

　たとえば、翔泳社200年史が出版されるとして、それは多分翔泳社さんが版元となると思いますが、仮に経団連さんが出したとしたら、それは２次資料になりますね。

　対象に近い人が書いているほうがいいわけです。

　写真も確認に使えます。

　交差点名を調べるとき、Googleストリートビューで、交差点の標識を見ることがあります。

一般の方が書いたブログは、資料としては使いにくいんですが、そこに写っている写真は、信頼性の高い場合があります。たとえば、「Fuji Rock Festival」で何があったかを調べるとき、いろいろな人がブログで写真をあげています。

「Fuji Rock Festival」で、○○さんというタレントが来たっていうことまでは、多分1次資料であたれます。しかし、その人がどんな服装をしていたかはそこには書かれていません。

　ナタリー（ポップカルチャーのニュースサイト）で調べられたら1次資料としますが、インスタやウェブサイトで「Fuji Rock Festival 2022」と調べて写っている写真があれば、2次資料として出します（校正・校閲を終えたものを出版社等に渡すときは、確認が取れた事実について資料を添付する場合がある）。

辞書は1次資料の最たるもの

文道：辞書は使いますか？

栁下：辞書は1次資料の最たるもののひとつで、よく使います。紙の辞書より、今はパソコンから検索するほうが増えました。

文道：みなさん全員同じ辞書を使われているのですか？

栁下：たとえば、新潮社さんのゲラをお預かりしたときは、新潮社さんの辞書を使ったほうがいいと思っていますし、KADOKAWAさんのゲラをお預りしたらKADOKAWAさんの辞書を使います。

ほかに僕がよく使うのは、小学館の『日本国語大辞典』の精選版です。ジャパンナレッジみたいな辞書の総合検索サイトもよく使いますし。岩波書店や新潮社の国語辞典も使います。

文道：一般の人がブログや原稿を書くときに、1冊しか辞書を買う予算がないとしたら、おすすめの辞書はありますか？

栁下：『日本国語大辞典』の精選版は全3巻ですが、大体のボキャブラリーが入っているのでいいと思います。アプリでも買えます。

AIは会話文の校正が苦手

文道：今、AIを使って文章校正をする人が増えています。Chat GPTも話題です。AIでの校正と、人が行う校正の違いはありますか？

栁下：極端なことを言うと、AIが校正・校閲する時代も来るとは思います。その頃はおそらく文章もAIが書いているでしょう。
　ただ、今のAIの精度を見ていると、思ったよりも伸びが早いと思いながらも、ちょっと違う知性だとも思っています。
　たとえば、「すもももももももものうち」のどこに言葉の切れ目があるのかを見分けるのを形態素解析といいますが、これはもう20年以上前から研究されている技術で、AIが入ることで精度が上がります。
　今後もデジタル的な文法の解析は、すごく精度が上がってくると思います。単純な文字の間違いを拾うのも補助的に役に立つ。

そういう時代はすぐ近くまで来ていると思います。

「なになにする傾向がある」の「傾向」が、蛍光灯の「蛍光」になっているような、明らかな誤変換はAIでも見つけます。ただ、精度の低いところもあります。

たとえば、会話文は急に精度が下がることがあります。文章表現としての会話文は、確立した文法がないためかもしれません。

人間の目で見たほうが精度が高い部分も、しばらく残っていくだろうと思っています。

とはいえ、ツールですので、使えるものは使っていったほうがいいです。たとえば、テキストの検索機能ですね。文字を初出に揃えるときは、人間の目でも拾えますが、検索機能を使ったほうが早い。その延長線上にAIがあると思っています。

「この文章、俺でも書ける」と思ってはいけない

文道：まったく興味のないジャンルの本を校正しなければいけないことがほとんどだと思います。自分としてはつまらないと思うジャンルの校正をするときと、そうじゃないときとで、何か違いはありますか？

栁下：「おもしろい」「おもしろくない」は考えていません。編集者もそうかもしれませんが、校閲で一番やってはいけないのは、「この文章、俺でも書けるな」と思うことなんです。

実際は書けないんですよ。1冊書くのはすごく大変なことですから。

なので、書いてもいない人が「つまらない」「おもしろくない」

なんて言うべきではないですね。

　文章を書いていない人が、ほかの人の書き上げた文章に、何か文句をつけるのは簡単です。けれど、大前提として、「お前、つまんないって言うけど、これ以上の文章が書けるのか？」ということを常に考えるべきです。

「つまらない」と言ったひとことは、壮大なブーメランになって、「書けるのであれば、書いてみろ」と、自分のところに返ってくるんです。

　僕は「書けない」と思う。だから、「自分とは違う人に刺さる文章なんだろうな」と思うことはあっても、「つまらない」と思うことはないです。

文道： プロが書いた文章に指摘を入れる場合、躊躇してしまうことはありませんか？

栁下： いろいろ間違いの見つけ方がありますが、知っているからこそ出せる指摘と、知らないからこそ出せる指摘は全然違います。

　たとえば、『ギリシャ語入門』という本があって、それまで自分はギリシャ語に関わったことはありませんでした。

　そもそもアルファベットの読み方、辞書の引き方すらわからない。でも、『ギリシャ語入門』ということは、これからギリシャ語を学ぶ人向けです。であれば、素人目線で見られますから、校正するのは自分でいいんです。

　ギリシャ語の言語学者が校正として読む場合は、指摘するところは全然違ってきます。

　興味がなかったものを読むときは、「興味がなかった」「何も知

らない」という経験を使って校正するべきなんです。

『ギリシャ語入門』を校正する場合は、初校はまったくのギリシャ語未経験者が読み、再校ではギリシャ語経験者が読むと、ゲラの精度は上がると思います。

集中力を保ち同じペースで読み続けることが大切

文道：ゲラを読むときに注意していることはありますか？

栁下：お腹いっぱいにならないようにしてますね。ゲラを読んでいるときは、カツ丼を食べないようにしたり（笑）。要するにどこまで集中力を保つかが大切なんです。

校正は肉体労働の一面があります。8時間ずっと座り続けてやりますから。重いものを持ち上げることはありませんが、脳という特殊な臓器を使う肉体労働です。ブドウ糖と酸素が常に脳に供給されるように意識しています。一定のクオリティを保つには、ボキャブラリーの多さよりも、ブドウ糖のほうが大事かもしれません。

書き手は「今日は気分のノリが良くて、集中できて8時間でいっぱい書けた」ということがあると思います。

ですが、我々は、ノリでたくさんできた、できなかった、というわけにはいかない。ノリに関係なく同じペースで読み続けることが必要です。締め切りがありますから。

昨日は270ページ読んだけど、今日は70ページしか読めなかったという人は、校閲者には向いていないかもしれません。そういう意味でも、校閲に関しては一定の集中力を保つことが大事です。

推敲は「間違いを探す」つもりで読むと精度が上がる

文道： 文字を校正するときはどうやって読んでいくのですか？

栁下： 今見ている文字しか見たくないという理由で、次の行を消すために定規を当てて、人差し指か鉛筆の後ろ側で文字を追っていく人もいます。

文道： 逆から読む人もいると聞いたことがあります。

栁下： 岩波書店の校閲部の方たちが、手書きの文章とゲラを付け合わせるときに、わざと後ろから付け合わせている、と聞いたことがあります。

　たとえば、頭から読んでいて「ポ・イ・ン」までくると、脳は「次は"ト"がくるだろうな」「きているはず」と予測してしまって、もし間違えた文字がきていても、見落としてしまう可能性があります。

　後ろから読めば、「ト・ン・イ」（「ポイント」の逆読みの最初の3文字）がきても、次が「ポ」だとは思わない。

　頭に意味を入れないために、わざと後ろから付け合わせるんです。ただ、1.8倍ぐらい時間がかかります。

　手書きの文章とゲラを付け合わせるときは、手書きの文章をコピーして、1行ずつ折って、ゲラの上に行を重ねて付け合わせるのが一番精度は高いです。

　あとは、初校と再校が同じ大きさのゲラだったら、重ねてあお

って、間違いを見つけるというやり方もあります。

文道：一般の人が推敲するときのコツとか、ポイントとか、もしあれば、ぜひお聞かせください。

柳下：我々が推敲することはないのですが、校正・校閲と推敲を結びつけるとしたら、結局、大切なのは、客観性でしょうね。

　自分で編集したり、自分で執筆した文章に対して100％の客観性を持つのは難しいとは思います。

　コツがあるとすれば、推敲するつもりで読むのではなくて、間違いを見つけるつもりで読んでみるといいかもしれません。

　できれば、プリントアウトして、赤ペンを持って読むといいですね。

　キーボードだと打ち直し（書き直し）ができます。

　すぐに書き直せる状態で読む文章と、自分がすぐに書き直せないと思った文章は読み方が変わると思います。

　すぐに書き直せると、「ここを直したから、つじつまを合わせるには前のほうも直さなければ」というつながりを見過ごしがちです。

　意図的にツールを変えてみる（パソコンで打つのではなく、赤ペンを持つ）のはいいかもしれません。

「世の中から炎上をなくす」のが目標

文道：今後の目標や展望があれば、お聞かせください。

栁下：会社としては、「世の中から炎上をなくす」のが目標です。

　今の時代は読むリテラシーが足りていないと思っています。

　SNSでの炎上は、要するに校閲を通っていないから起こるんだなと思っているんです。

　世界中のすべての人が校閲者になればいいのに、と僕は思っています。

　自分の校閲としての目標は、3Dプリンターで活版印刷をやりたいなと思っています。活版時代の終わりから校正の仕事をしていますが、校正記号の「文字欠け」を使ったことがないんです。活版印刷だと、鉛の活字が摩耗して、文字が欠けることがあります。

　3Dプリンターで活版を作れば、絶対魔耗してくるはずなんです。

　そうしたら、いつかその記号を使えるんじゃないかなと思っています（笑）。

第7章

伸ばす

【文章力を伸ばすコツ①】
とにかく「書く」

　文章力は、センスや文才がなくても身につけられます。

　本書に書かれたノウハウを知識として覚えること。

　その上で、

「書く」

「写す」

「真似る」

「読む」

　を実践することで、文章力は伸びていきます。

とにかく書く

　文章のノウハウを知っているだけでは、文章力を身につけたとはいえません。知識として覚えたノウハウを使って、実際に書いていく。それによって文章力は培われていきます。

　しかも、「繰り返し書く」ことで、文章力は向上していきます。

　なぜ「書く」ことが大切なのか。

　実践せず、頭の中でわかっているだけでは身につかないからです。

　筆者たちも、決して文才があったわけではありません。会社員

時代、毎日締め切りに追われて文章を書き、先輩のところにもっていくと、これでもかというほど、赤字を入れられて返されました。大急ぎで直して、なんとか納品する。

その繰り返しの中で、文章力が身につき、数年後になんとかフリーランスライターとしてやっていけるようになりました。

この経験からもいえるのは、文章がうまくなりたいのなら、量を大切にすること。とにかく書くことです。

文章のプロたちの多くも「文章を上達させたいなら、とにかく書きなさい」と口を揃えています。

やみくもに書くのではなく、正しいノウハウ（知識）を知った上でたくさん書くことが大切です。

毎日書く

スポーツ選手は毎日体を動かします。ピアニストは毎日ピアノを弾きます。日常的に動かしていないと動かしづらくなるからです。「上手くなりたい」という向上心をもって、毎日練習を重ねなければ、上達も難しいものです。

じつは文章も同様です。

書き続けていないと書けなくなります。

「上手くなりたい」という向上心をもって、毎日書き続けることで上達します。

筆者たちのように文章を使う仕事をしていれば、とにかく書かなければいけないので、トレーニングにもなります。

書く仕事をしていない人は、強制的に自分を「書く」ことに向ける必要があります。

　毎日自分を「書くこと」に向かわせるには、次の方法があります。

【自分を書くことに向かわせる方法】

- 毎日時間を決めて書く。
- 決めた時間は手を動かし続ける。
- 書く機会を増やす。

　言語学者の外山滋比古さんは、著書『知的文章術』（大和書房）の中で次のように述べています。

「毎日、朝、食事の前に、すこしずつでも文章の練習をすれば、かならず上達する」

書く機会を増やす方法

「書く機会を増やす」には次の方法があります。

【書く機会を増やす7つの方法】

①新聞や雑誌、ネットに投稿してみる。

②日記をつける。

③ブログを書く。

④ハガキや手紙を書く。

⑤メールへの返信を丁寧に書く。

⑥映画や演劇、本の鑑賞ノートをつける。

⑦読んだ小説のあらすじをまとめる。

　文章のプロたちの多くは、「日記」を書くことを推奨しています。
　文章を練習する上で、いい選択であることは間違いないでしょう。日記は手軽に書き始められ、好きなように書けます。
　ただ、日記は他人に見せるためのものではありません。
「自分が読むだけだから、多少の誤字脱字があってもいい」「表現も適当でいい」と甘えが出てしまう可能性があります。

　日記を書いて、文章執筆に慣れてきたら、
「①新聞や雑誌、ネットに投稿してみる」
「③ブログを書く」
「④ハガキや手紙を書く」
　など「読み手」のいる文章に挑戦することが大切です。
　人に見せるため、緊張感を持って書くことになります。読み直しをしたり、文法に気を付けたり、読み手の気持ちに配慮したりすることで文章は上手になります。

　ブログの型について、157ページにまとめてありますので、参考にして書いてみてください。

誰かに添削をしてもらうと上達する

　自分たちの若手時代を振り返ると、仕事で書いた文章を先輩が見て赤字を入れてくれたこと、つまり、添削をしてくれたことが文章上達の大きな力になったと感じます。

フリーライターとして駆けだしだった頃は、出版社の編集者や広告代理店のディレクターが入れてくる赤字を見て、同じ間違いをしないように気を付けたり、表現の選び方を学んだりしました。

文章がうまくなる近道は、書いた文章を「誰かに見てもらう（添削してもらう）」ことです。

赤字をもらったら、事務的に直すのではなく、必ず、
「どこが間違いなのか」
「なぜ、間違えたのか」
を検証します。
検証をすることで、自分のできていなかった点に気づけます。
受験勉強で問題を解きつつ、間違えたところを見直して、できるところを増やしていくのと似ています。
赤字を検証することで、文章力が伸びていきます。

【添削をしてもらったときのポイント】
- 自分が書いた元の文章と比べる。
- 添削をしてもらったところ（赤字）について、なぜ、赤字が入ったのかを考える。
- 赤字について理由がわからない場合は、必ず、添削をしてくれた人に理由を聞く。
- 同じ間違いをしないための対応策を考える（自分での読み直しの回数を増やす、など）。

書いた文章は寝かせてから読み直す

　身近に見てもらえる人がいたら、添削をしてもらうのが文章上達の近道です。

　しかし、多くの人にとってハードルが高いかもしれません。

　そんなときは、第6章でも説明したように「半日か1日くらい時間を置いて自分で見直し」をします。書いたあとに時間を置くと、書いたときとは違う気持ちで文章と向き合うことができます。客観的な視点も持てます。

　客観的な視点で見るときに大切なのは、

- 誤字脱字や内容の間違いがあったときは、なぜ、間違えたのかを振り返り、「次は気を付けよう」と自分を戒めること
- 自分を責め続けたり、自分の文章をけなしたりしない

　ことです。

　けなすことで、やる気がそがれてしまうからです。

　逆に、「間違えはあったけれど、少しずつ上手くなっている。もっと上手に書けるようになるだろう」と前向きに解釈します。

　自分を励ますことが、文章上達につながります。

　文章がうまくなりたいなら書くことです。書かなければ始まりません。とにかく書き始めてみましょう。

【文章力を伸ばすコツ②】
「こう書きたい」文章を写す

　文章上達の二大秘訣は以下の通りです。

【文章上達の二大秘訣】
- 名文を書き写す、名文を真似る。
- 名文を多く読む。

　文章は「名文から学ぶ」ことが大切です。
　なぜ、名文から学ぶのか。

　文章は、今まで使われた言葉や文の組み合わせによってつくられます。自分で一から言葉や文章をつくるのは不可能です。
　これまで書かれてきたものから学んでいくしかありません。
　そのため、名文を読んだり、書いたりするのが、文章上達の近道です。

　この項目では、「名文を書き写す、名文を真似る」について詳しく述べていきます。

自分がいいと思った文章が名文

　名文とは何か。辞書的にいえば、

「すぐれた文章」

「有名な文章」

　で、名文に明確な基準はありません。

　本書でいう名文とは、自分が、

「こういう風に書きたいと思う文章」

「これは名文だなと思う文章」

　のことです。

　いくら誰かが「名文」と褒めたたえている本であっても、自分にとってそれが名文であるとは限りません。

　本のショッピングサイトでレビューを読むと、人の感じ方、受け止め方はさまざまであることがわかります。

　ある人が、大絶賛している本でも、別の人は、ありふれた内容の本、と書いていることがあります。読み手の経験、人生観、知識によって、「すぐれた文章」は異なります。

　自分がお手本を選ぶときは、自分が「いい」と思った本、「これはすぐれている文章だ」と思った本を選ぶといいでしょう。

　ちなみに、筆者が考える名文は、

「繰り返し読みたくなる文章」

「自分の人生に有益な示唆を与えてくれる文章」

「読み手への思いやりにあふれる文章」

　のことです。

　本に限らず、私信（個人的なメッセージや手紙）やブログに名文を見つけることもあります。

また、ときには「自分には難しい」と思う文章に触れることも大切です。

　筋トレでは、少しずつ負荷を高めていくことで、筋肉が鍛えられていきます。文章も、少しずつ難しい文章に挑戦（読んだり、書いたり）していくことで、語彙が増えたり、文章力が伸びていったりします。

「難しい」という理由で本を閉じてしまうと、成長の機会を失うことになります。

目的に合ったお手本を選んで書き写す

「名文を書き写す、名文を真似る」といっても、何を書き写し、何を真似ればいいのでしょうか。

「読まれるブログを書きたい」
「会社の資料を上手にまとめ上げたい」
「作家になりたい」
「ライターになりたい」

　など、「文章がうまくなりたい」目的は人によってさまざまでしょう。文章上達の近道は、目的に応じた名文を写したり、真似たりすることです。

「読まれるブログを書きたい」なら、自分が好きなブロガーのブログをお手本にする。

「会社の資料を上手にまとめ上げたい」なら、資料をいつも上手にまとめ上げている先輩の資料を真似てみる。

「作家になりたい」のであれば、目標とする作家の作品を真似たり、写したりしてみる。

自分の文章上達の目的をはっきりさせることが大切です。

【お手本を選ぶときのポイント】

- 目的に合ったお手本を選ぶ。
- 自分が共感できる、好きな文章を選ぶ。
- 尊敬できる人の文章（作品）を選ぶ。
- 同じ人だけでなく、さまざまな人の作品をお手本にする。

「名文を書き写す」やり方は単純です。そのまま一字一句、書き写していきます。

文章のプロたちは、「一字一句手で書き写した」人もいれば、「ワードで打ってもいい」と言う人もいます。

漢字を覚えられるので、筆者は手書きをすすめています。

まずはやってみる（写してみる）ことが大切ですので、やりやすい方法で始めてみましょう。

パソコンなどキーボードで打つ場合は、何も考えずに進めると、単純な入力作業になってしまいがちです。

文章を自分の体験として体や頭にしみ込ませることを意識し、考えながら打ちます。

写すときのポイントは次の５つです。

【写すときの５つのポイント】

①今まで使ったことのない言葉がないか意識する。

②知らない言葉が出てきたら、必ず辞書を引いて意味を調べ、その言葉を自分のものにしていく。

③自分が使ったことのない「文章のつなげ方」「書き出し」「最後のまとめ方」の工夫を見つける。

④全体の構成はどうなっているか考える。

⑤入力したものを読み直す。

ベストセラー本をお手本にしてみる

お手本探しに迷ったときは、

「ベストセラー」

「新聞の一面コラム」

の書き写しをおすすめします。

ベストセラーとは、よく売れている本のことです。

「〇部以上売れている本がベストセラー」という明確な定義はありません。出版業界では、10万部以上売れているからベストセラー、という声をよく聞きます。ひとつの目安になります。

そこまで数字にこだわらずに、書店やネットで見て、「売れている」と思う本を選ぶといいでしょう。

売れているのには、それなりの理由があります。

「なぜ、売れているのか」「売れている本は、どんな言葉づかいをしているのだろう」「文章の特徴はあるのか」「どんな構成だろう」など、その本の魅力を考えながら、書き写すのも学びになります。

ビジネス書、自己啓発書、実用書など、いろいろなジャンルにベストセラー本は存在します。

せっかく書き写すのであれば、自分の興味のある分野から始めてみるといいでしょう。必ずしも1冊すべてを書き写す必要はなく、1章でも時間が無ければ1項目でもいいと思います。

新聞の一面コラムの書き写しも力になる

新聞の一面コラムとは、読売新聞「編集手帳」、朝日新聞「天声人語」、毎日新聞「余録」、産経新聞「産経抄」、日本経済新聞「春秋」などです。

新聞の一面コラムをお手本におすすめする理由は4つあります。

【新聞の一面コラムがおすすめの4つの理由】
- 500〜700文字と短く、短時間で写せる。
- 時事問題のとらえ方がわかる。
- 読み物として楽しめる。
- 文章の構成力養成になる。

筆者もライターになりたての頃、新聞の一面コラムの書き写しを実践していました。

なんとか文章がうまくなりたい。多くの人にとって読みやすい文章を書きたい。でも多くの人にとって読みやすい文章って、どんな文章だろう。

考えた末、トレーニングとして始めたのが、朝日新聞の「天声人語」の書き写しでした。

当時、インターネットはまだありませんでした。

情報の多くを新聞から得ていました。

新聞の発行部数はかなり多く、「これだけの部数を誇る新聞の一面コラムであれば、誰もが読みやすい記事を目指して書いているはず」と考えました。

　まだワープロが出始めたばかりの頃で、とても高価で自宅にはありませんでしたから、手書きで写していました。

　ただ写すのではなく、既述の「写すときのポイント」を意識しました。

　1カ月ほど続けると、自分なりの手ごたえを感じました。

　早く書けるようになりましたし、仕事で書いた原稿への、上司からの赤字が格段に減ってきました。

　新聞の一面コラムは、書き写しに加え、次のような活用方法もあります。

【新聞の一面コラムの活用法】

- 250字、100字などに要約してみる➡要約力を養える。
- 見出しをつけてみる➡見出しをつくる力を養える。

書いた人から上手くなる

　数年前に、全5回のライター育成講座を実施したことがあります。何回目かにこの書き写しのエピソードを披露し、「1カ月とはいわないまでも、1週間でもやってみると、違いを実感できるかもしれません」と話しました。

　その次の回の講座で、「新聞コラムの書き写しをやってみた人はいますか？」と聞いたところ、そっと手をあげた人がただひとり

いました。その人は、ライター育成講座のメンバーのなかで最初にフリーライターとして活動を始めました。

「新聞の書き写しをやったからいち早くライターになれた」
　というより、「文章が上手くなる可能性があるのなら、ひとまず何でもやってみよう」という前のめりな気持ちが、ライターへの道筋をつくったのだと思います。
　合う合わないもあると思いますが、やってみなければ、わからないことも多いものです。
　まずは一度でもやってみるといいでしょう。

【文章力を伸ばすコツ③】
「こう書きたい」文章の構成を真似る

　筆者２人が20代の頃に勤めていた編集プロダクションは、非常に放任主義の会社でした。

　入社後、最初の１回だけ先輩の取材に同行し、その後は「わかったでしょう？　同じようにやればいいから。ひとりで行ってきて！」と取材を任されたことがあります。

　ある雑誌の著名人の取材について、どうまとめればいいか聞くと、「前の号を見て、同じようにまとめればいいから」と言われました。

　同じようにやる、つまり、「真似て覚える」ということでした。

　文章をそのまま真似るのではなく、「文章の構成要素（型）や言葉選びなどを真似る」ようにと教えてもらいました。

　言われたとおり、前の号を見ると、内容は「デビューのきっかけ」「エピソード（嬉しかったエピソード、失敗したエピソード）」「将来の夢」で構成されていました。この構成を真似すると、粗削りながら、文章が整って見えました。

「整った文章を書きたい」「構成力を伸ばしたい」場合、構成を真似するのが有効です。たとえば、好きな雑誌のインタビュー記事があったとすれば、どんな構成になっているか、要素を書き出します。

インタビュー記事の例

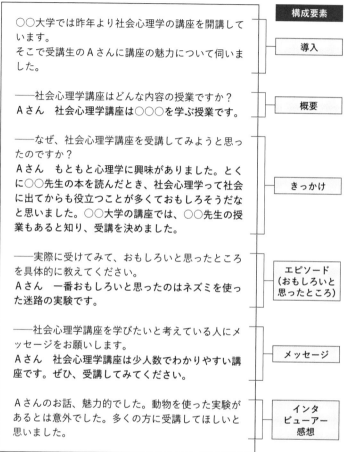

	構成要素

○○大学では昨年より社会心理学の講座を開講しています。
そこで受講生のＡさんに講座の魅力について伺いました。

→ 導入

――社会心理学講座はどんな内容の授業ですか？
Ａさん　社会心理学講座は○○○を学ぶ授業です。

→ 概要

――なぜ、社会心理学講座を受講してみようと思ったのですか？
Ａさん　もともと心理学に興味がありました。とくに○○先生の本を読んだとき、社会心理学って社会に出てからも役立つことが多くておもしろそうだなと思いました。○○大学の講座では、○○先生の授業もあると知り、受講を決めました。

→ きっかけ

――実際に受けてみて、おもしろいと思ったところを具体的に教えてください。
Ａさん　一番おもしろいと思ったのはネズミを使った迷路の実験です。

→ エピソード（おもしろいと思ったところ）

――社会心理学講座を学びたいと考えている人にメッセージをお願いします。
Ａさん　社会心理学講座は少人数でわかりやすい講座です。ぜひ、受講してみてください。

→ メッセージ

Ａさんのお話、魅力的でした。動物を使った実験があるとは意外でした。多くの方に受講してほしいと思いました。

→ インタビューアー感想

　自分がインタビュー記事を書く際には、気に入っている文章の構成になるようインタビュー項目を立てて、話を聞いていくとまとめやすいです。

　どんな言葉を使って質問しているかも参考になります。

【文章力を伸ばすコツ④】
名文を繰り返し読む

　文章力を伸ばすコツの４つ目は、お手本となる名文を読むことです。名文とは何かについてはすでに触れたとおりです。

　なぜ、名文を読んだほうがいいのか。

　なぜ、名文から学ぶのがいいのか。

　評論家、丸谷才一さんの次の言葉にヒントがあります。

「われわれはまつたく新しい言葉を創造することはできないのである。可能なのはただ在来の言葉を組合わせて新しい文章を書くことで、すなはち、言葉づかひを歴史から継承することは文章を書くといふ行為の宿命なのだ」（『文章読本』／中央公論新社）

　前述したように、言葉は自分で新しく生み出すことはできません。ですから、先人たちの使った言葉や表現を学んで、身につけ、自分なりに組み合わせて文章をつくっていくしかありません。

　そのため、名文に学ぶのです。

　名文を読むメリットは、おもに次の３つです。

【名文を読む３つのメリット】

• 語彙を増やせる。

• 言葉づかいを学べる。

• 文章のリズムを身につけられる。

文章は言葉によって綴られています。名文で書かれた本を読むことで新しい言葉や表現との出合いがあり、語彙を増やし、文章力を高めることができます。

名文を読むうちに、人にとって心地良い文章のリズム感が身についてきます。

同じ本を繰り返し読んで文章の基礎を身につける

では、名文をどのくらい読めばいいのか。

脳科学者の茂木健一郎さんは、

「文章の能力や国語力は、勉強や仕事の基本です。この二つを鍛えるには本を読むこと。しかも膨大な量を読むことが一番の近道です」（『脳を活かす勉強法』／PHP研究所）

と言っています。

一方で、言語学者で評論家の外山滋比古さんは、

「一人、二人の文章家の文章を集中的に読み込んで、その骨法を学ぶ。これが文章上達のコツで、いちばんの近道のように思われる」（『知的文章術　誰も教えてくれない心をつかむ書き方』／大和書房）と書いています。

文章の基礎を身につけたい場合には、まずは多読をするよりも、「これ」という本を繰り返し読むほうが効果的です。

脳には「繰り返し覚えたことは忘れにくい」という性質があります。スポーツ選手も、繰り返しの練習によって、能力を上げていきます。文章も基礎力がつくまでは、「これ」という本を繰り返し、繰り返し読むといいでしょう。

第8章

心得る

「言葉」「文章」には
人を動かす力がある

　インターネットの普及によって、言葉や文章の影響力が強くなっています。

　紙の印刷物に書かれた言葉や文章は、人に届くまでに時間がかかりますし、誰もが目にできるわけではありません。

　しかし、ネット上に書き込んだ言葉は、瞬時に地球の裏側まで届きます。パソコンやスマホを持っていれば、誰もが目にすることができます。

　会ったことがない人の「とある状況」に対して、深く考えず、感情のままに心をえぐるような言葉を投げつける。

　短時間に多くの人から、同様の言葉を投げつけられたとき、投げつけられた人は、どれほど傷つくのか、どんな行動をとってしまうのか。想像する必要があります。

　最悪の場合、自分の命を絶つ可能性もある。

　リアルな刃物と同じように、心ない尖った言葉は、人の心を突き刺します。

　言葉には、人を行動に向かわせてしまう力があるのです。

　逆に、人を励ます文章、思いやりある言葉が、人の心を抱きしめ、勇気づけ、守り支えることもあります。

　行動に移せずにいた人が、誰かの言葉や文章に背中を押され、

チャレンジすることは少なくありません。

　人を傷つける言葉を使うのか、人を励ます言葉を使うのか。**言葉の使い方で自分の人生が左右されることもあります。**

　ひとつには、口に出した言葉は、ときに「ブーメラン」のように自分に戻ってくることがあるからです。やさしい言葉を投げかければ、相手もやさしく応じてくれます。
　しかし、強い言葉で非難すれば、相手はさらに強い言葉で応戦してきます。

「書く力」「言葉の力」を、人を助けるために使っていれば、自分が助けられる。逆に、人を誹謗中傷することに使っていたら、自分が傷つけられます。

　また、脳科学の分野では、「脳は主語を理解できない」という説もあります。自分が口にした言葉を、自分のこととして受け入れようとしてしまうのです。
「あいつはバカだ」と言えば、主語を理解できない脳は、自分を「バカ」と考える、ということです。

　普段から言葉の選び方を考えていくことで、人生はいい方向にも、そうではない方向にも、変わっていきます。

匿名で書き込むときは文章をいったん寝かせてから

SNSなどへの書き込みによる誹謗中傷は、あとをたちません。

2023年に総務省が発表したデータによると、「他人を傷つけるような投稿をされたことがある（誹謗中傷）」と答えた人は、過去1年間にいずれかのSNSのサービスを利用したと答えた回答者のうち8％、年代別では、

- 20代……12.5%
- 30代……12.2%

という結果でした。

20代や30代では、SNSを利用している人のうち10人に1人が誹謗中傷をされたことがあると答えています。（「インターネット上の誹謗中傷への対応に関する政策パッケージ」に基づく取組／総務省）

会ったことがない人の「とある状況」に対して、感情のままに何かを書き込みたくなったときは、注意が必要です。とくに、匿名での書き込みは慎重にすべきです。

匿名であっても、「いつ」「どこから」「誰が」投稿したかは基本的に特定可能といわれます。

誰かを誹謗中傷すれば、相手も傷つきますが、自分も大きな傷を負うことになります。

誰かを傷つけてほしくないし、誰かを傷つけたことで、自分を傷つけてほしくありません。

　もし感情を抑えられずに何かを書き込みたくなった場合は、どうすればいいのでしょう？

　まず、いったん、スマホやパソコンから離れます。
　そして、
「それを書かれた人はどう感じるだろう」
「自分がそれを書かれた側だったらどう思うか」
「これは、自分の住所や名前をさらしてでも書いたほうがいいことなのか、書くべきことなのか」
　を考えてみることが大切です。

「表現は自由だから」と、何でも「好き勝手に」「自由に」書いていいわけではありません。「自由には責任が伴う」のです。

　自分を守るためにも「文章」や「言葉」は、くれぐれもていねいに使うようにしましょう。

「書く力」があると「4つ」の欲求が満たされる

　筆者たちは約30年、「書く」仕事をしてきました。

　その中で気づいたのは、「書く力」があると次の4つの欲求が満たされることです。

【「書く力」があると満たされる4つの欲求】

- 承認欲求……自分の書いた文章が「誰かに」読んでもらえる。
- 知的欲求……知らないこと、興味のあることを知ることができる。
- 経済的欲求……文章力と年収は比例関係にある。
- 貢献欲求……誰かの力になることができる。

「承認欲求」が満たされ自分を誇りに思える

「ライター」として仕事を始めた頃、仕事に追われる日々の中でも、大きなモチベーションになったことがありました。

「クレジット」です。

　多くの場合、自分が携わった雑誌や書籍には、クレジット（新聞、書籍、雑誌記事、写真などに明記する著作権者・原作者などの名前）として自分の名前が掲載されました。

　記事の最後や書籍の奥付（発行者や出版年月日などがまとめて

書かれているページ）に、「執筆／藤吉豊」「TEXT／小川真理子」などのように、名前が活字になっていると自分が誇らしく思えました。親に見せると、「すごい！」と一緒になって喜んでくれて、少しだけ親孝行ができた気にもなりました。

　PR誌では、記事を書いても、自分の名前が出ないこともありました。しかし、自分の書いた記事が、広く、多くの人に読まれるのは、承認欲求を大いに満たしてくれました。

　ライター養成講座で、「承認は得たいけど、自分の名前を出すのが怖いです。どうすればいいですか」という質問を受けたことがあります。個人情報が漏洩するのが怖い、ということでした。本名で書くのが怖い場合は、ペンネームを使うことをすすめています。

　ペンネームであっても、自分が書いた事実に変わりはなく、同じように承認欲求は満たされると思います。ペンネームとして、認知されやすい（覚えてもらいやすい）名前をつけることもできます。

専門家、著名人に会えたのは「書く力」のおかげ

　ライターとして記事をまとめたり、インタビューをしたりする過程では、「自分が疑問に思うこと、知りたいこと」「多くの人に伝えたいこと」を調べ、話を聞いていきます。

　自ずと「知らないことを知ることができる」ため、知的欲求が満たされます。

　しかも、ライターでなければ、会えなかったであろう専門家や

第8章

心得る

著名人から直接話を伺えるのは、緊張する一方で、好奇心を満たしてくれます。ライターという仕事の醍醐味でもあります。

年収の高い人のほうが文章力がある

プレジデント編集部とgooリサーチとの共同調査（調査期間は2012年1月6〜9日）によると、文章に苦手意識を持っている人（ビジネスマン）は、

- 年収1500万円以上……36.4％
- 年収500万円台……58.3％

でした。

年収の高いほうが、文章に対して苦手意識が低い。つまり、文章力があるといえそうです。

日本漢字能力検定協会の調査では、「あなたの勤務先では、社員の文章力は昇格や昇給に影響すると思いますか？」という問いに対し、「影響する」と答えた企業は66.3％でした（調査期間は2020年1月28〜30日）。

こうした調査からも、

- ビジネスにおいて文章力が必要である
- 文章力が経済的欲求を満たす

ことは明らかです。

筆者である文道の2人も「書く力」で、それぞれ生計を立ててきました。

「書く力」の恩恵です。

もっとも大切なのは「貢献欲求」

　書籍づくりのお手伝い（著者の方がいて、ライターとして関わったとき）をしていると、出版社に届く「読者カード」「愛読者カード」、あるいは、ネット上のレビューという形で、読者の直接の声が届くことがあります。なかには次のような声がありました。

「この本を読んで、自殺を思いとどまった」
「この本を読んで、あきらめていた大学受験に挑戦し合格できた」
「この本を読んで、人生の再出発ができた」
「この本を読んで、倒産寸前の会社を立て直すことができた」

　本の内容は、著者の考えであり、著者の思いです。読者の人生を変えたり、前向きな行動に導いたりしたのは、著者です。

　私たちは著者の方からお話を聞いて文章にまとめる、という形で関わったにすぎません。

　しかし、私たちの「文章にまとめる力」「書く力」が、著者の思いを読者へ橋渡ししたとすれば、私たちも、読者の人生に関わったことになります。

　文道が著者として出版した本の読者からのレビューを目にすることもあります。たとえば、最初の著書『「文章術のベストセラー

100冊」のポイントを1冊にまとめてみた。』では、次のようなレビューをいただきました。

「この本を読んで、文章を書く気になった」
「この本を読んで、背中を押してもらえた」
「この本を読んで、ブログを立ち上げたくなった」

　ライターとして関わった本の感想やレビューも、著者として書いた本のレビューも、自分たちが多少なりとも社会の役に立っていることを実感させてくれました。
「書く力」が貢献欲求を満たしてくれたのです。

　「書く力」があると満たされる4つの欲求の中で、今、自分たちの一番の「書く原動力」になっているのは、この貢献欲求です。

書く力は、「誰か」の人生を変えるかもしれない

　文章を公開することは、「人を動かす力を公の場で行使する」ことにほかなりません。
「書く力」は、どこかにいる、誰かの人生を変える可能性を秘めています。自分たちが著者となって以降、その力の強さを一層実感しています。
「書く力」を使えば、
「誰かが求めている情報」を、
「誰かの役に立つ情報」を、
「誰かを元気づけたり、勇気づけたりする情報」を、

文章にして発信できる。

であれば、どこかにいる「誰かのために」「他者のために」書く
力を使っていこう、筆者はそう考えています。

本書を読んで、文章を公開する人も、ブログであれ、SNSであ
れ、書いた途端、誰かの人生を変える可能性を秘めています。
　みなさんが書いた一行によって、「背中を押された」「前向きに
なれた」「命を救われた」と思う人もいるかもしれません。
　せっかく書くのであれば、「誰かのために」「他者のために」書
く力を使ってください。
「あんなこと書かなければよかった」ではなく、
「書いて本当によかった」と思うことを書いてください。

「誰かのために」「他者のために」書く力を使う人が増えることが、
私たちの喜びであり、願いです。

ポジティブな言葉を発信する

　犯罪を抑止する強い目的がある場合や、「火の近くでは使わないでください」などの明確な禁止事項を除き、筆者たちは「ポジティブ」な表現を心掛けるようにしています。ポジティブな表現とは、人を前向きに動かす表現のことです。

　伝える内容が同じでも、表現の仕方で、受け取り手の気持ち、行動が変わります。ネガティブな表現をポジティブな表現に変えると、自分の気持ちも、相手の気持ちも前向きになります。

　ポジティブな表現にするポイントは、命令文や否定する表現の代わりに、肯定的で前向きな表現にすることです。

【例文】

• ネガティブ表現
　遅刻をしたら絶対に許さないからな。

• ポジティブ表現
　時間どおりにくると、周りから信頼されるよ。

　例文の「ネガティブ表現」は、命令形になっています。命令文は角が立ちます。相手を萎縮させたり、緊張させたり、反発させ

たりして、言葉を受け止めづらくします。

「ポジティブ表現」のように、相手を思う気持ち、応援する気持ちを言葉に乗せることで、受け止めやすくなります。やる気もでるでしょう。

「命令調の表現は間違い」というわけではありません。

相手のことを理解し、「この人には命令調のほうが伝わる。命令調のほうが成長する」とわかっているのであれば、いいかもしれません。

ただし、例文のような表現によって成長する人は、圧倒的に少ないでしょう。

普段から言葉の選び方を変えることで、相手を動かすポジティブな表現に変えることができます。

【「ネガティブ」➡「ポジティブ」変換例】
「面倒くさい」➡「やりがいがある」
「忙しくてできません」➡「もう少しあとなら時間が取れます」
「ありません」➡「在庫を切らしています。○月○日入荷予定です。
「あの人は緊張感が足りない」➡「あの人はいつも自然体だ」

愛語を実践する

　筆者である文道のひとり、藤吉豊が書籍『苦しみの手放し方』（ダイヤモンド社）の制作のお手伝いをする過程で、著者の大愚元勝住職（愛知県の大叢山福厳寺）から教えていただいた言葉に「愛語」があります。愛語は仏教（禅）の言葉です。

【愛語の意味】
　やさしい言葉、慈愛に満ちた言葉、愛情のこもった言葉

　強い言葉で人の心をこじ開けるのではなく、思いやりのある穏やかな言葉で相手を励まし、勇気づけようという教えです。
　愛語のベースは、相手の心に親愛の情を抱かせる思いやりです。愛語の実践では、言葉を使うときに次の点に気を付けます。

【愛語を使うポイント】
- 言葉を粗末に扱わない。
- 思いついた言葉を思いついたまま発しない。
- 人を非難したり、傷つけたり、差別したり、中傷したり、炎上させるために言葉の力を使わない。
- 人を励ましたり、勇気づけたり、元気にするために使う。

「どう表現するか」より「相手を思う気持ち」が大切

　以前、大愚元勝住職に「愛語の具体的な言葉を教えてください」と伺ったことがあります。

　住職は、次のようにおっしゃいました。

「こういう言い回しをすれば愛語になる。こう言い換えればいい。この単語は愛語で、この単語は愛語ではない、といった公式やルールは存在しないんです」

　愛語の本質は、

「相手を大切に想う」

「受け取る相手を思いやる」

　心のありよう、です。

　つまり、「どう表現するか」ではなくて、「どれだけ相手を思えるか」です。

　お伝えしてきたように「書く力」は、読み手の人生を変える力を持っています。読み手の人生を不幸な方向に変えるために使うのではなく、読み手が幸せになるように、より良い人生になるようにその力を使う。

　多くの人が愛語を使うようになれば、コミュニケーションは円滑になり、世の中は穏やかになっていくでしょう。

普段の会話から愛語を使う

　言葉を文章として表現するときだけでなく、周囲の人々と接す

るときも、常に愛語を実践します。

「赤ちゃんを抱いたときの愛おしい気持ち」（愛語）で接すれば、人間関係は良い方向に進むはずです。

　周りの人も幸せになります。

　愛語を実践していくことで、普段の言葉づかいが変わり、表現の仕方も変わり、自分も変わっていきます。

　文道の小川は、兄妹と協力して母親を介護しています。

　母親は、高い要介護度で、ひとりで歩いたり、自由に出かけたりすることはままならず、日々、ベッドの上や車いすに座って過ごしています。

　小川は、少しでもしあわせな気分になってもらいたい、少なくとも気持ちが落ちないようにしてほしい、という思いで接しています。そのため、できるだけ気持ちの良い言葉を使うようにしています。

　朝は、晴れていれば、カーテンを開けながら「気持ち良いお天気ですよ」と伝え、雨が降っていれば、「実りの雨だよ。植物が喜ぶね」と言います。物事には、良い面とそうじゃない面がありますが、できるだけ良い面を伝えます。

　温タオルで清拭をするときは、

「今日もとってもいい顔色ですね」

「今日も健康で暮らせそうですね」

「今日もお母さんが元気でいてくれて嬉しいです」

「さっぱりしてよかったね」

　などと話しかけています。

表情も発語も少ない母ですが、ときおりニコリと笑います。

　兄妹も、それぞれの方法で母を元気づける言葉がけをしています。

　母が幸せを感じているかどうかはわかりません。

　ただ、手伝ってくださるヘルパーさんたちに、「お母様はいつも穏やかですね」と言われます。

　心穏やかでいてくれることはありがたく、家族の言葉がけが少なからず影響していると思っています。

内面を磨くことが、
文章を磨くことにつながる

「言葉や文章」と「書き手の心や人柄」は、切っても切れない関係にあります。

古人の言を集めたことわざや名言にも次のように残されています。

【言葉や文章と人柄の関係をあらわすことわざ＆名言】

- 「言葉は身の文」……言葉は書き手の品位や心の様子をあらわす。
- 「言葉は心の使い」……その人が心に思っていることは自然と言葉にあらわれる。
- 「文は人なり」……文章を見れば、書き手の人となりがわかる。（フランスの博物学者、ジョルジュ＝ルイ・ルクレール・ド・ビュフォン）

文章は、書き手の思考や思想、性格といった人間性を自然と反映します。ですから、人の心を動かす文章を書きたいのであれば、心を育み、内面を磨くことが大切です。

同じものを見たり、同じ経験をしても、その受け止め方や表現の仕方は人それぞれです。それぞれの人が心の中で価値を決めているからです。

たとえば、レストランで冷製トマトパスタを注文したのに、温かいトマトパスタが出てきたとします。

　ある人は、ネットの口コミ欄に、

「冷製と温かいパスタではまったく違う食べ物。こんな間違いをするなんて、ありえない。二度とこの店には来ないだろう」

　と書くかもしれません。

　別の人は、

「今日は身体を冷やさないように温かいパスタを食べなさい、という神様の思し召しかも。つくり直してもらったら、この料理は捨てることになるかもしれない。おいしそうだし、このままいただこう」

　と書くかもしれません。

　同じオーダーミスでも、その捉え方、対処の仕方は人それぞれです。その現象に意味を持たせているのは書き手の価値観です。

　テクニックも情報集めも大切ですが、それ以上に文章に影響を与えているのが、心の内面であり、人生観（人生に対する見方）や価値観です。

人を惹きつける文章を書くには、自分と向き合い、心の内面を磨いていくことが不可欠です。

【おわりに】
文ハ是レ道ナリ

「株式会社文道」の社名は、大愚元勝住職がつけてくださいました。会社を興すことになり、「社名をどうするか」という話になったとき、どちらからともなく、当時から親交があり、藤吉と小川が尊敬する大愚元勝住職にお願いしてみよう、と即決しました。

　普段使う言葉が自分たちの意識を形づくっていくのと同様に、名前（社名）が少なからず自分たちの意識や方向性を決めます。
　社名の命名をお願いしたということは、自分たちの会社の方向づけを一緒に考えていただいたのと同じと捉えています。

　考えてくださった社名「文道」は、「文ハ　是レ　道ナリ」の略語です。

「文」……書く
「道」……人生、道徳、道理

　つまり、「書く行為は人生そのものである。書くことは、人がふみ行う道徳・道理である」という思いが込められています。

　藤吉と小川は、出版の世界に身を置いてから約30年、「書く」という行為を続けてきました。書く行為は2人の人生そのもので

す。

　そして、ライターとして、いろいろな人たちをインタビューし、言葉や考えや実績を文章にまとめてきました。その文章の中には、その人の人生そのものが映し出されています。

　いろいろな人たちの思いや専門性を汲み取る作業は、いろいろな人たちの人生に寄り添うことでもありました。

　文道はこれからも、「書くこと」を通じて、その人（インタビューイー）の人生や、その企業の在り方に寄り添っていきたい。

　その人生や思いを多くの方々に届けるお手伝いをしていきたいと考えています。

　加えて、文道の講座の中で、「文章の力」「言葉の重さ」について受講者の方々と一緒に考えていく機会をつくっていきます。

　言葉がその人の人格をあらわすとすれば、言葉の使い方、文章の力を磨いていくことで、その人の人格、人柄もまた磨かれるのだと思います。

　ひとりひとりが相手を思う言葉づかいをすること、

　ひとりひとりが相手への配慮ある文章を書くこと、

　それによって、少しでも暮らしやすい社会になるよう努力していきたいです。

　なによりも、「文道」という名に恥じないよう、「言葉」「文章」を自分たち自身が大切に扱っていきたいと思います。

　本書は、

「読んだ方ひとりひとりの文章レベル（リテラシー）を上げること」

「仕事・プライベートを問わず、誰が・いつ・どんな時に読んでも嫌な気持ちにならない文章が作れるようになること」

　を目指して、文道の2人がこれまでに培ってきた文章にまつわるあらゆることをまとめました。

　みなさまの文章レベルの向上に少しでもお役に立てたとしたら、これ以上の喜びはありません。

　　　　　　　　　　　　　　　文道　藤吉豊／小川真理子

参考文献

- 『草枕』
  （夏目漱石／青空文庫）

- 『考える技術・書く技術—問題解決力を伸ばすピラミッド原則』
  （バーバラ ミント著、山崎康司訳／ダイヤモンド社）

- 『文章読本』
  （丸谷才一／中央公論新社）

- 『知的文章術　誰も教えてくれない心をつかむ書き方』
  （外山滋比古／大和書房）

- 『脳を活かす勉強法』
  （茂木健一郎／PHP研究所）

- 『「文章術のベストセラー100冊」のポイントを1冊にまとめてみた。』
- 『「話し方のベストセラー100冊」のポイントを1冊にまとめてみた。』
- 『「勉強法のベストセラー100冊」のポイントを1冊にまとめてみた。』
- 『「お金の増やし方のベストセラー100冊」のポイントを1冊にまとめてみた。』
  （藤吉豊、小川真理子／日経BP）

- 『社会人になったらすぐに読む文章術の本』
  （藤吉豊、小川真理子／KADOKAWA）

- 『文章力が、最強の武器である。』
  （藤吉豊／SBクリエイティブ）

本書内容に関するお問い合わせについて

このたびは翔泳社の書籍をお買い上げいただき、誠にありがとうございます。弊社では、読者の皆様からのお問い合わせに適切に対応させていただくため、以下のガイドラインへのご協力をお願い致しております。下記項目をお読みいただき、手順に従ってお問い合わせください。

●ご質問される前に

弊社Webサイトの「正誤表」をご参照ください。これまでに判明した正誤や追加情報を掲載しています。

正誤表　https://www.shoeisha.co.jp/book/errata/

●ご質問方法

弊社Webサイトの「書籍に関するお問い合わせ」をご利用ください。

書籍に関するお問い合わせ　https://www.shoeisha.co.jp/book/qa/

インターネットをご利用でない場合は、FAXまたは郵便にて、下記"翔泳社 愛読者サービスセンター"までお問い合わせください。
電話でのご質問は、お受けしておりません。

●回答について

回答は、ご質問いただいた手段によってご返事申し上げます。ご質問の内容によっては、回答に数日ないしはそれ以上の期間を要する場合があります。

●ご質問に際してのご注意

本書の対象を超えるもの、記述箇所を特定されないもの、また読者固有の環境に起因するご質問等にはお答えできませんので、予めご了承ください。

●郵便物送付先およびFAX番号

送付先住所　　〒160-0006　東京都新宿区舟町5
FAX番号　　　03-5362-3818
宛先　　　　　（株）翔泳社 愛読者サービスセンター

※本書に記載されたURL等は予告なく変更される場合があります。
※本書の出版にあたっては正確な記述につとめましたが、著者や出版社などのいずれも、本書の内容に対してなんらかの保証をするものではなく、内容やサンプルに基づくいかなる運用結果に関してもいっさいの責任を負いません。
※本書に記載されている会社名、製品名はそれぞれ各社の商標および登録商標です。

著者紹介

藤吉豊
（ふじ よし ゆたか）

株式会社文道、代表取締役。有志4名による編集ユニット「クロロス」のメンバー。日本映画ペンクラブ会員。神奈川県相模原市出身。

編集プロダクションにて、企業PR誌や一般誌、書籍の編集・ライティングに従事。編集プロダクション退社後、出版社にて、自動車専門誌2誌の編集長を歴任。2001年からフリーランスとなり、雑誌、PR誌の制作や、ビジネス書籍の企画・執筆・編集に携わる。文化人、経営者、アスリート、タレントなど、インタビュー実績は2000人以上。2006年以降は、ビジネス書籍の編集協力に注力し、200冊以上の書籍のライティングに関わる。現在はライターとしての活動のほか、「書く楽しさを広める活動」「ライターを育てる活動」にも注力。「書く力は、ライターだけでなく、誰にでも必要なポータブルスキルである」との思いから、大学生や社会人に対して、執筆指導を行っている。

小川真理子
（おがわ まりこ）

株式会社文道、取締役。有志4名による編集ユニット「クロロス」のメンバー。日本映画ペンクラブ会員。日本女子大学文学部（現人間社会学部）教育学科卒業。

編集プロダクションにて企業PRや一般誌、書籍の編集・ライティングに従事。その後、フリーランスとして大手広告代理店の関連会社にて企業のウェブサイトのコンテンツ制作にも関わり仕事の幅を広げる。これまでに子ども、市井の人、文化人、経営者などインタビューの実績は数知れない。現在はビジネス書や実用書などの編集・執筆に携わる一方で、ライターとして約30年活動をしてきた中で培ってきた「書く」「聞く」についてのスキルや心構えを伝えたいとライティング講座にも注力。学生や社会人、ライターを目指す方々に対して執筆指導を行っている。

●スタッフ
装丁デザイン／山之口正和（OKIKATA）
本文デザイン・DTP／斎藤充（クロロス）

●取材協力（敬称略）
牧村則村
土井英司（有限会社エリエス・ブック・コンサルティング）
斎藤充（クロロス）
栁下恭平（株式会社鷗来堂）

日本人のための「書く」全技術【極み】

2023年10月23日　初版第1刷発行

著　　　者	藤吉 豊、小川 真理子
発　行　人	佐々木 幹夫
発　行　所	株式会社 翔泳社 (https://www.shoeisha.co.jp)
印刷・製本	日経印刷 株式会社

ISBN978-4-7981-7955-1　　　　　　　　　　　　　　　　　Printed in Japan